COLLECTION FOLIO

Marcel Aymé

Le chemin des écoliers

Gallimard

I

Vers une heure après minuit, Michaud eut un cauchemar qui l'assaillait souvent sur le matin. Il lui semblait errer dans un terrain vague aux horizons noyés de nuit, au bord d'une ville invisible qui était peut-être sa ville natale dont l'image imprécise et déformée flottait dans sa mémoire. Après avoir marché longtemps et sans but sur une lande grise qui ne reflétait rien, il commençait à perdre la notion de lui-même lorsque surgissait à ses yeux un édifice en planches, d'où s'échappait un filet de musique traversé par des rires de filles. Soulagé de pouvoir enfin ressaisir le fil de son existence, il n'hésitait pas à entrer, mais, la porte franchie, ne trouvait devant lui que le terrain vague et se remettait à errer, sentant à nouveau sa conscience s'en aller en charpie dans une brume d'incertitudes.

Il ne s'éveilla que le lendemain à sept heures et, après avoir hésité un moment s'il avait mal au foie ou à la conscience, se souvint tout à coup de son rêve. Le cauchemar du terrain vague, qui le visitait environ une fois par mois, lui laissait toujours au réveil l'impression d'une espèce de misère originelle et, durant toute la matinée suivante, il en gardait un goût d'à quoi bon et d'infini frelaté. Il se mit à passer en revue le défilé habituel de ces réveils amers, une assez sombre mêlée de soucis, de regrets, de perplexités : la guerre, la nourriture, sa femme à la clinique, le métier pesant, l'argent difficile, les enfants, le linge qui s'usait, les vêtements, les souliers, les cigarettes à cinquante francs, la secrétaire, la politique, le plombier, les incertitudes de pensée. De temps en temps, il revenait à son cauchemar et lui cherchait une explication symbolique qu'il se défendait de prendre au sérieux. Le terrain vague, c'était la vie; la porte de l'édifice en planches et la musique douteuse représentaient la mort avec promesse de paradis ou de repos; cette porte franchie, on recommençait la vie dans les mêmes perspectives pelées. Tout ça pouvait aussi figurer l'amour et ses recommencements où la musique douteuse trouvait sa place. En songeant à ce cauchemar en grisaille, Michaud s'avisa qu'il n'y avait jamais de couleurs dans ses rêves et que tout y était en noir et blanc, comme au cinéma. Il se demanda si ces rêves ternes lui étaient particuliers et se promit d'enquêter dans son entourage, mais il eut bientôt cessé d'y penser.

Pierrette, la plus jeune de ses trois enfants, faisait sa toilette dans la salle de bains. Il l'entendit remuer des flacons et vit passer sa silhouette derrière le carreau dépoli de la porte. Sa toilette finie, elle alla ouvrir les persiennes dans la chambre des garçons. C'était une fillette de douze ans, solide et rieuse. Elle profita de l'obscurité pour fouiller les poches d'Antoine et, après avoir ouvert les persiennes de fer, alla d'un lit à l'autre embrasser ses deux frères. Frédéric, l'aîné, répondit en grognant et se tourna au mur. Antoine, tout ensommeillé qu'il fût, prit le visage de sa sœur entre ses deux mains, la salua d'un mot tendre, lui mordilla une oreille et se remit sous les couvertures.

Après avoir mis les petits déjeuners en train, Pierrette tira de son corsage les papiers dérobés dans la poche d'Antoine : une enveloppe vide, à moitié déchirée, adressée à une dame Grandmaison demeurant rue Durantin et un morceau de papier écolier, couvert de chiffres et d'abréviations. Malgré ses efforts, elle ne put découvrir le sens de ces documents et dut rester sur sa curiosité. Dans la salle de bains, le père se mit à crier qu'on s'était servi de son rasoir pour tailler des crayons. Bien qu'il eût presque oublié son cauchemar, il était de l'humeur la plus sombre. La salle de bains suait l'humidité, le savon ne moussait pas, le rasoir était ébréché, la vie mal pavée. Dans la glace, il voyait sa grosse tête plantée de crins durs déjà gris, avec une broussaille de sourcils restés blonds et de gros yeux gris furieux dont l'expression lui parut dépourvue d'intelligence. Son regard s'arrêta aux rides et bourrelets du front, aux poches des yeux. Il se vit déjà de la peau en trop et un nez veiné, violacé aux ailes. Son torse de lutteur de foire commençait à souffrir aussi et les pectoraux glissaient vers le bas. Cette fois, pensa-t-il, c'est bien le déversant de la pente. D'habitude, il accusait la lumière triste des carreaux dépolis et voulait voir, sur ses traits creusés, une reflet d'alerte jeunesse, la flamme de l'esprit vigilant. Mais pour bien voir les choses et les gens, à commencer par soi-même, il faut les regarder avec colère et, ce matin, la mauvaise humeur lui ouvrait les yeux. Du reste il n'était pas fâché de vieillir. Encore un coup de collier, quelques années à souquer sur la chienne de galère d'existence salope et, ses enfants casés, il pourrait enfin se permettre de gagner très peu d'argent, de quoi vivre seul dans un pigeonnier en lisant des mémoires, puisqu'il adorait les mémoires. Soudain, Michaud s'avisa qu'il oubliait de faire une place à sa femme dans sa future existence et dut convenir que ce n'était pas la première fois. Joli sentiment qui couvait sous sa mauvaise humeur. Et cette femme sans reproche, entrée l'avant-veille à la clinique pour se faire enlever un fibrome, pensait sûrement moins à son opération qu'à l'embarras dans lequel son absence devait plonger les siens. Au réveil, quand on n'est pas lavé, voilà pourtant ce qu'on est, se disait Michaud, et dans la journée, la bête ne se présente pas beaucoup mieux. Que de regrets conscients au moindre prétexte, que de nostalgies rageuses, sans compter les ruades à la dérobée, les petites trahisons très mûrement élaborées et consommées sans remords sincère. Du reste, quelle importance? Nos petites infamies fourrées de silence et les autres, c'est notre modeste partie dans le concert de la grande infamie, celle des hommes, des nations, des troupeaux. Et ce monde-là, c'est fait, il va crever, il est en train, il se tortille dans les affres. Sous un ciel bas, plombé d'épouvante et de résignation imbécile, on l'entend hurler son agonie, râler ses fureurs suicidaires, pousser au cul de la mort en rythmant les sanglots de son « De profundis » hystérique, et c'est bien reposant de penser que l'humanité s'est condamnée sans espoir. Qu'elle crève, rageait Michaud, et si jamais j'en prends un à tailler ses crayons avec mon rasoir, je lui flanque une paire de claques.

Assis à la table de la cuisine avec ses garçons, le père les dévisageait d'un regard soupçonneux, comme si le rasoir ébréché dût s'inscrire au front du coupable.

Antoine, ce joli garçon de seize ans, avait un visage secret, doucement fermé, semblait-il, sur des soucis mystérieux, mais ses yeux sombres aux longs cils et ses traits délicats reflétaient une âme tendre, sérieuse, qui excluait le soupçon d'une légèreté aussi criminelle. Frédéric, lui, qui se rasait déjà tous les deux jours, avait trop la pratique du rasoir pour n'être pas révolté à l'idée d'un pareil attentat. Du reste, il était également sérieux et se prenait lui-même très au sérieux, au point d'agacer les siens. Fort en mathématiques, il exagérait un peu une disposition naturelle à la gravité et, à en croire Pierrette, jouait les savants. Son père avait souvent la tentation de le houspiller, mais fermé lui-même aux plus simples mathématiques, cette tête algébrique lui imposait.

Pierrette versa dans les bols et le père s'écria de surprise et de plaisir, car les déjeuners étaient d'authentiques chocolats. D'un effort ennuyé, Frédéric s'absenta d'une méditation pour descendre à une approbation polie, mais son visage s'anima visiblement à la vue et à l'odeur du chocolat. Heureuse d'étonner, Pierrette riait avec un ravissement enfantin, sa grande bouche traversière fendue en croissant, et le père se mit à rire aussi en s'avisant qu'elle était bien capable de lui avoir emprunté son rasoir pour tailler ses crayons.

— Vous pouvez remercier Antoine pour le chocolat, dit-elle. C'est lui qui l'a apporté hier soir.

Ce disant, elle posait sur la table une assiette de tartines beurrées. Le père, alarmé, redevint sérieux.

— Du beurre pour les petits déjeuners, je ne sais pas ce que votre mère en penserait, mes enfants. Hier, justement, elle s'inquiétait de ce qu'il allait nous manquer. Et le marché noir, c'est très joli...

— Mais non, papa, ne t'inquiète pas. Celui-là, c'est Antoine qui nous l'a trouvé.

Déjà penché sur son bol, Antoine n'eut pas l'air empressé à recueillir des témoignages de satisfaction. Enfin, sur question, il releva la tête et regarda son père avec assurance.

— J'ai fait un échange, expliqua-t-il d'une voix posée. Tiercelin voulait m'acheter un roman américain qui est interdit. Moi, j'ai préféré un échange et j'ai eu une livre de beurre avec un petit sac de chocolat en poudre.

Ce nom de Tiercelin, la famille commençait à l'avoir dans l'oreille. Depuis un mois, Antoine en parlait volontiers, quoiqu'il fût ordinairement plutôt secret sur le chapitre de ses amitiés.

— Je n'ai jamais lu de romans américains, fit observer Frédéric avec une ironie légèrement suffisante, mais je reconnais qu'ils ont du bon. En tout cas, tu as fait une affaire.

— Mais non, il paraît que ça valait beaucoup plus. Tiercelin lui-même en est tellement persuadé que pour me dédommager, il voudrait m'emmener à la campagne pendant les vacances de Pâques.

Rien dans la voix ou dans l'attitude d'Antoine ne trahissait l'anxiété de la réaction paternelle, ni même le désir de se rendre à l'invitation de son camarade, mais Pierrette et Frédéric avaient aussitôt compris que ses paroles étaient tout particulièrement destinées au père.

— Il est certain qu'une quinzaine au grand air ne te ferait pas de mal, convint Michaud. Avec ta mine de papier mâché et tes yeux cernés jusque-là, tu en as plus besoin que personne. D'autre part, ces gens que nous ne connaissons pas, c'est un peu gênant.

Antoine entra dans les raisons du père et les développa lui-même, mais avec des remarques insidieuses qui les réduisaient à rien. La cause était gagnée et il était bien peu probable que la mère se mît en travers du projet. Michaud, tout en déjeunant, parcourut un journal du matin et fit à haute voix quelques réflexions sur la lenteur et l'incertitude des opérations en cours. A ce train-là, on en avait encore pour dix ans, trop heureux si une paix séparée ne prolongeait pas de dix autres années l'occupation allemande. Il parlait ainsi pour ses fils auxquels il aurait voulu faire partager ses espoirs et ses inquiétudes, mais la guerre, les malheurs du pays et l'avenir de la civilisation semblaient les laisser indifférents. Lorsqu'ils ne pouvaient se dispenser de formuler une opinion sur l'actualité, ils ne faisaient que se conformer à la bienséance et leurs paroles n'exprimaient rien de profond ni même d'assuré. Cette indifférence troublait Michaud et l'intimidait. Pendant qu'il commentait ainsi les nouvelles, Pierrette eut plusieurs peines. Sur l'assiette, les tartines beurrées étaient au nombre de douze, soit trois par personne, les exigences du rationnement ne permettant pas une distribution plus large. D'habitude, chacun s'en tenait à ses trois tartines, sauf de très rares erreurs imputables à la distraction et que personne ne songeait à relever, car on avait la pudeur de ces sortes de contestations. Mais ce matin, par exception, les tartines étaient beurrées. Sans doute la gourmandise favorise-t-elle la distraction. En effet, les hommes, et Pierrette entendait par là son père et son frère aîné, Antoine demeurant à ses yeux un enfant d'une tige un peu poussée, les hommes, donc, avaient mangé chacun quatre tartines avec l'assurance et la quiétude que donne seule une candeur parfaite. Bien sûr, leur bonne foi était insoupçonnable, surtout celle du père, mais il est certains délits d'inconscience aussi révélateurs d'un égoïsme tranquille que peut l'être la pire duplicité. Autre sujet de tristesse pour Pierrette, les hommes retournés à leurs préoccupations et toute leur gaieté oubliée, ne semblaient plus prendre garde qu'ils déjeunaient de chocolat, et une bonne fortune aussi rare était déjà pour eux la chose la plus naturelle du monde. On ne pouvait non plus exiger d'eux une jubilation bruyante après chaque cuillerée de chocolat, Pierrette le comprenait bien et se serait contentée d'un émerveillement discret, mais cette indifférence au milieu de la félicité, comme si c'était chose due, cette totale absence d'égards à la joie qu'elle avait de leur faire plaisir lui semblaient friser la muflerie. Elle prenait une conscience un peu humiliée du rôle de la femme dans le cercle de la famille, et commençait à trouver un sens à certaine parole prononcée par sa mère un jour de lassitude : « On dirait que les hommes traversent la vie en chemin de fer; nos soucis et nos peines, ils les regardent comme par la portière. »

Vers huit heures, Michaud quitta son domicile de la rue Berthe et descendit l'escalier de la rue Foyatier avec la conscience à vif, essayant encore de disputer en lui même si le délit avait été consommé en toute connaissance. La main avait pu obéir à l'estomac et saisir la quatrième tartine en l'absence de tout contrôle. Réflexe peu honorable, mais réflexe. Il se pouvait aussi que sa conscience n'eût reçu qu'un de ces avertissements sourds qui n'incitent pas la volonté et ne servent qu'à nous préparer des remords. Mais en fin de compte, il croyait se souvenir que la bête et le respect humain avaient délibéré en lui, et que la bête avait parlé plus haut. Encore une infamie, la plus révoltante qu'il eût jamais commise. Bâfrer sur la part de ses enfants, rogner de son plein vouloir leur pain déjà si chichement mesuré et laisser croire à une minute de distraction très innocente, on ne pouvait imaginer rien de plus bas.

Il alluma une cigarette. Cinquante francs le paquet. Quinze cents francs par mois. Dix-huit mille francs par an. L'opération d'Hélène en coûterait douze mille, peut-être davantage, et il n'avait pas encore réuni la somme. A la maison, il se plaignait qu'on dépensât trop et, la semaine passée, il avait fait la sourde oreille à une demande de souliers. Avec dix-huit mille francs, il aurait pu beaucoup pour les pieds de la famille.

Le matin de mars était mou et froid comme un retour d'hiver. Le ciel tombait sur les épaules et, de l'autre côté du funiculaire, dans la pente du square Saint-Pierre, des loques de brouillard traînaient encore sur les pelouses. Le temps barbouillé pourrissait les rues basses de Montmartre. Une vie enrhumée et miteuse s'éveillait sur les trottoirs entre les poubelles débordantes et les maisons sales où les portes bâillaient comme des trous de misère. La ville entière semblait à Michaud broyer un remords de tartine. En passant devant le square Saint-Pierre, il y vit entrer quatre fantassins allemands, des campagnards lents et silencieux qui s'acquittaient avec indifférence de leurs obligations touristiques. De l'autre côté du portillon, ils s'arrêtèrent à regarder le massif du Sacré-Cœur dressé en pâte blanche au haut de la montée du jardin désert et, comme ils étaient venus là pour ça, ils entreprirent l'ascension. Michaud crut pouvoir les envier. Eux aussi avaient sans doute le souci d'une famille, mais ils n'en avaient plus la responsabilité. Les problèmes qui se posaient au sein de leurs foyers respectifs ne les concernaient plus. Dieu y pourvoyait. Eux, ils ballaient dans les rues de Paris ou de Quimperlé, montaient des gardes, astiquaient leurs fusils, et les peines de la famille, les souliers des gosses, les tartines, les fibromes, c'était leur accordéon du soir, le quart d'heure quotidien consacré aux chers absents qui se débrouillaient comme ils pouvaient. Le ciel de France devait leur paraître léger à ces quatre fantassins vert-de-gris [1].

Michaud n'abordait presque jamais à la rue de Maubeuge où étaient ses bureaux, sans éprouver le poids des événements qui l'avaient transformée. Avant l'occupation, c'était le quartier des affaires lourdes, laborieuses,

1. Ces quatre soldats allemands s'appelaient : Arnold, Eisenhart, Heinecken et Schulz. Le premier fut tué sur le front russe. Le second, blessé en Crimée, rentra chez lui les deux jambes coupées et mourut empoisonné par sa femme. Heinecken, un homme doux et sérieux, fut affecté à la garde d'un camp de déportés. Il ne tua jamais que par ordre de ses supérieurs, sauf une fois où il se laissa aller à assommer un vieillard à coups de bâton. Versé en mars 45 dans une unité combattante, il est actuellement prisonnier en Belgique. Schulz mourut à Paris dans une rue du quartier Amérique, le premier ou le deuxième jour de l'insurrection, en août 44. Les circonstances de sa mort m'ont été rapportées par un cordonnier qui en fut témoin. Se trouvant séparé de son unité qui avait évacué le quartier la veille, Schulz échoua dans un petit café d'où il sortit pris de boisson. Sans armes, sans casque, sans veste, il n'avait conservé que sa chemise, sa culotte et ses bottes. Les gens de la rue commencèrent à s'attrouper autour de lui. Titubant et chantant, il s'avançait sans prendre garde à la foule. Parvenu sous les fenêtres du cordonnier, il fut abattu et, en quelques instants, complètement dépecé. Les femmes et les enfants, précise le témoin, étaient particulièrement acharnés. C'était à qui lui couperait un doigt, une oreille, une lanière de viande. Lorsque la foule se fut dispersée, il ne restait de Schulz que quelques traces de sang sur le pavé.

de celles qui ne se bâclent pas en deux coups de téléphone ou par un échange de cigares, mais qui exigent des démarches d'hommes, des références, des marchandages. Ses activités propres et le voisinage de la gare du Nord y entretenaient du matin au soir un trafic de voitures coulant à pleins bords et un va-et-vient de passants soucieux du temps et de l'argent parmi lesquels il n'y avait pas de flâneurs. Ce mouvement des rues dégorgeantes, pressé entre les grands immeubles du baron Haussmann, n'avait jamais inspiré à Michaud la moindre sympathie. Pour lui, c'était le mouvement de l'argent traqué et du labeur bourru auquel lui-même était condamné. En outre, il n'avait jamais pu se faire à la couleur du quartier, qui est celle de la pierre vue dans un verre fumé. Mais depuis l'occupation, toute cette région de Paris était d'une tristesse béante. La nudité des rues découvrait des perspectives sinistres où les passants et les groupes fluets paraissaient à la merci d'un courant d'air. Les rares voitures qui brûlaient le pavé, un camion de l'armée allemande, quelques voitures d'officiers ou des carrosseries casquées d'appareils à gazogène, avaient l'air de fuir une ville condamnée. Dans ces rues sans vie qui ne leur apportaient plus de sève, les grands immeubles d'affaires faisaient déjà penser à des forteresses déclassées et le quartier semblait se survivre, d'un effort déclinant, dans une aube de dimanche éternel. Au milieu de cette léthargie, Michaud rêvait parfois aux vastes cités englouties dans les siècles, aux orgueilleuses Babylones où la vie découragée avait perdu ses habitudes et renoncé enfin à disputer l'espace aux palais éboulés.

II

Les bureaux de la « Société de Gérance des fortunes immobilières de Paris » occupaient deux pièces et un vestibule au sixième étage, sous les combles. Constituée en 1932 au capital de douze mille francs entièrement versés par Pierre Michaud et son associé Etienne Lolivier, elle gérait en 1939 onze immeubles de rapport. Avant la guerre, l'entreprise permettait aux deux associés de gagner convenablement leur vie. Outre le pourcentage sur les loyers perçus, qui n'était pas le meilleur de l'affaire, on s'octroyait des ristournes sur les réparations en s'arrangeant avec les entrepreneurs qui en avaient la charge. L'abus étant à peu près régulier dans la profession, et les propriétaires y étant d'ailleurs résignés, on n'avait pas à s'en faire un cas de conscience, quoique Michaud se fût toujours senti un peu gêné d'en tirer profit. Les frais généraux étaient peu importants, le personnel se composant d'une secrétaire et d'un garçon de courses. Depuis l'exode de 1940, la gérance était beaucoup moins rémunératrice. Le prix des loyers était resté le même en dépit de la vie chère et un certain nombre d'entre eux n'était plus payé : ceux des prisonniers, des locataires demeurés en zone non occupée, des Anglais, des Juifs emprisonnés ou enfuis. Les propriétaires besogneux ne voulaient pas entendre parler de réparations; les riches, par exemple la Société d'assurances du Sud-Ouest, qui était le plus gros client, ne demandaient qu'à investir dans des travaux de réfection de l'argent qui eût ainsi échappé au fisc, mais la main-d'œuvre et les matériaux étaient rares. La besogne des associés n'en était pas diminuée pour autant. Jamais on n'avait eu autant de rapports avec les administrations publiques, la Ville, la Préfecture, l'Office des Juifs, le Parquet, l'Hygiène, les Statistiques, les Finances ; et ce n'étaient que prescriptions, ordonnances, demandes de renseignements, questionnaires à remplir, états à fournir. Enfin, les locataires, logés maintenant à très bon marché si l'on tenait compte de la valeur de l'argent, n'avaient jamais été aussi grincheux. Réclamations à propos du chauffage, de l'ascenseur, des robinets, des cheminées, demandes de dégrèvements, contestations, menaces, on n'en sortait pas.

Michaud salua Solange, la secrétaire, d'une voix rauque et agressive, bien qu'elle n'eût dans l'instant d'autre tort à ses yeux que celui d'être une créature humaine. Elle lui parla avec une amabilité exagérée, pour lui faire entendre qu'elle avait plus d'éducation que lui. C'était une assez jolie fille, un peu déparée par trop de nez, mais bien faite avec de belles jambes, qu'elle ne cachait pas. Michaud lui coupa la parole.

— Pendant que j'y pense, il faut me taper tout de suite le mémoire sur l'affaire Barauchet. Dès qu'il sera prêt, vous enverrez le gosse le porter à l'étude Choudieu. Naturellement, il n'est pas encore arrivé. Ici, chacun en prend à son aise. La maison est devenue une boîte, mais bon Dieu, il va falloir que ça change!

Eusèbe, le garçon de courses, un adolescent maigre et privé, au regard éteint, entra justement sur ces paroles de menace. Solange, estimant que son véritable prénom d'Alain était au-dessus de sa condition, lui avait donné celui d'Eusèbe dont l'usage s'était imposé dans la maison. D'un premier mouvement, Michaud s'était porté sur Eusèbe pour le secouer, mais il se contenta de faire appel à sa raison et à ses bons sentiments. La fragilité de ce gamin étiré et anémique faisait fondre sa colère. L'entreprise n'avait guère à se louer des services du malheureux, que son étourderie et sa paresse de sous-alimenté exposaient sans cesse aux reproches. Michaud, non sans peine, réussissait à le maintenir à son poste et avait même obtenu de son associé qu'on augmentât son salaire. De temps en temps, il lui octroyait cinquante francs sur son argent personnel et, à l'automne dernier, il avait procuré un sac de pommes de terre à sa mère. Eusèbe, qui mentait sans autorité, s'excusa de son retard sur une prétendue panne de métro, mais ne réussit même pas à se faire écouter. Dans la pièce voisine, Etienne Lolivier se débattait au téléphone :

— Croyez bien, si je pouvais vous donner satisfaction... Non, Madame, ne dites pas... Je ne demande qu'à aller voir vos vécés, mais à quoi bon?... C'est introuvable, mais je ferai l'impossible.

— Qu'est-ce que c'est? demanda Michaud qui venait d'entrer.

— Le quatrième face de la rue Eugène-Carrière. La bonne a cassé la cuvette des vécés [1].

1. Les locataires de cet appartement, ruinés par la guerre et pressés par un besoin d'argent, dénoncèrent à la Gestapo, en 1943, un vieil oncle à héritage, qu'ils aimaient d'ailleurs beaucoup. Par hasard, leur dénonciation s'égara dans les bureaux

— Puisque c'est à leurs frais, il n'y a qu'à la remplacer. Lebidel nous en a mis de côté une dizaine.

Lolivier, un courtaud à grosse tête et aux yeux de furet, le regarda de travers.

— Toi, si on t'écoutait, le quatrième face aurait des vécés neufs demain matin et la chose lui paraîtrait si naturelle qu'on n'oserait même pas prendre un sou de bénéfice. Mais moi, le quatrième, je le laisse mariner dans ses défécations, et dans un mois, il sera trop heureux de payer sa cuvette quatre ou cinq mille francs.

Choqué, Michaud ne trouva rien à redire à des dispositions qui, à vue de nez, semblaient conformes aux habitudes de la maison. Il s'était assis à son bureau, face à Lolivier, et commençait à lire le courrier. Levant la tête, il considéra un moment le crâne de son associé penché sur son porte-plume, une large esplanade rose plantée en son milieu de trois flocons de cheveux tordus en patte d'araignée.

— Je ne marche pas, dit Michaud.

Lolivier leva un œil et, le nez sur sa plume, continua d'écrire.

— Non, je ne marche pas. Je sais ce que tu vas me dire : mon refus a l'air d'un sursaut de délicatesse qui ne changera rien à la ligne de notre entreprise et nous continuerons, dans la mesure où les circonstances le permettront, à escroquer les propriétaires qui nous ont accordé leur confiance.

— Je ne t'aurais jamais dit ça, protesta Lolivier. Tu choisis toujours des mots excessifs, tu stylises à chaud. En fait, les propriétaires ne nous ont accordé leur confiance

allemands et ils n'en eurent pas de regret, la fortune ayant heureusement tourné pour eux. A l'heure qu'il est, le vieil oncle vit encore et ses neveux l'aiment toujours beaucoup.

que sur certains points stipulés par contrat et nous ne les avons jamais escroqués d'un centime. Notre profession fait de nous les intermédiaires naturels entre propriétaires et entrepreneurs. En acceptant une commission sur les travaux de réparation, nous rétablissons un équilibre juste sans sortir des voies honnêtes.

Lolivier faisait des ronds de poignet en détachant le petit doigt de sa grosse main courte. Un sourire précieux plissait sa ronde face de bougnat, barrée d'un trait de moustache noire.

— Ne prends pas ce genre abbé de cour, interrompit Michaud. Je te l'ai déjà dit cent fois, tu fais vulgaire et cornichon. C'est d'ailleurs un travers que j'ai observé souvent chez les gens qui sont venus à Paris en sabots et qui ont raté leur conquête de la capitale.

— Tu n'y es pas venu non plus en escarpins, que je sache?

— Non, mais j'étais beaucoup plus fin que toi.

Michaud n'avait même pas eu la précaution d'un sourire qui eût fait passer sa réponse pour une boutade. Lolivier hocha la tête et parut se convaincre qu'il disait vrai. Les yeux fixés sur le même encrier, ils restèrent un moment silencieux à considérer le départ de leurs tribulations à Paris. Vers 1920, au retour de la guerre, ils s'étaient connus dans une institution libre de la rive gauche où Michaud enseignait le latin en préparant une agrégation de grammaire. Lolivier, à qui son député auvergnat avait procuré une place de professeur de gymnastique dans le même établissement, était inscrit à la faculté de Droit. Après un deuxième échec à l'agrégation, Michaud renonçait à l'enseignement. Ayant eu de petits succès de parole dans quelques réunions, il s'était résolu à mettre ses forces au service du parti socialiste avec l'espoir de s'y faire honnêtement une place où il eût trouvé les moyens de mieux servir la cause. Relégué pendant des années dans des utilités presque subalternes, il avait fini par lâcher le parti et cherché sa voie dans les affaires. Michaud, avec amertume, parlait souvent à son associé à ces années perdues sans profit pour personne, pendant lesquelles il avait péniblement vécu. Lolivier, lui, ne disait presque rien de ce qu'il avait fait durant cette même période où ils s'étaient à peu près perdus de vue. Jamais il ne s'était expliqué de façon bien claire sur la succession des événements qui l'avaient amené à la direction d'un cabaret miteux de la rue de Douai, dont le propriétaire était en train de faire faillite quand les deux anciens collègues avaient renoué connaissance, vers la fin de 1931. En tout cas, il y avait dans son existence un trou de plusieurs années qui se situait entre 1925 et 1930 et sur lequel son mutisme était absolu. Michaud, en se défendant d'y croire, supposait parfois qu'il avait dû exercer des activités peu avouables.

— Avec toi, soupira Lolivier, c'est toujours la même chose. Tu te crois obligé de raffiner sur la morale.

— Pas du tout. Je me conforme aux usages de ma profession. Mais je me refuse à faire du marché noir.

— Le marché noir, lui aussi, est devenu un usage de la profession. Quand un entrepreneur nous réserve une commission sur ses travaux, il la prélève sur un trafic de marché noir auquel l'oblige la rareté des matériaux. Alors?

— Nous ne sommes pas en affaires avec les locataires. La cuvette des vécés sera vendue à un juste prix et je m'en occuperai moi-même. La société de gérance ne sera jamais une officine de marché noir. Tu me comprends bien?

Lolivier fit signe qu'il comprenait, mais tandis qu'il se remettait à écrire, son petit œil de furet exprimait assez que pour son propre compte, il ne ressentait pas cette répugnance insurmontable qu'inspirait le marché noir à son associé.

— Note bien que je suis un cochon, dit-il au bout d'un moment.

— Et moi donc? répondit Michaud, mais avec une pointe d'optimisme qui ne fut d'aucun réconfort à son associé.

Vers le milieu de la matinée, Michaud passa dans la première pièce, celle des employés. Elle était meublée comme l'autre, à quelques détails près, et les associés y avaient leurs places en vis-à-vis au grand bureau en faux citronnier où chacun d'eux venait s'asseoir et dicter son courrier pour ne pas gêner le travail de l'autre. Michaud était de meilleure humeur qu'à l'arrivée. Sur les maisons d'en face, un reflet de soleil blanc brillait aux fenêtres des mansardes et lui découvrait un monde plus clair et plus ferme. La vie commençait à s'échauffer et à tourner rond. Il en oubliait les ratés du petit matin, la mise en train laborieuse et souterraine qui fait douter des promesses de la veille. En dictant le courrier à la secrétaire assise de profil devant lui, il prit garde à ses jambes qu'elle découvrait haut. Ces jambes, bien en chair et d'une forme pure, étaient pour les associés un sujet de plaisanteries assez ordinaire, chacun d'eux affectant de soupçonner l'autre de mauvais desseins. En parlant des « jambes de la Sirène », ils ne craignaient pas de pousser l'humour jusqu'à dire de ces lourdes obscénités, d'une gaieté robuste, traversant les conversations entre mâles comme ces grosses bourrasques de vent qui balaient les nuages pour découvrir un coin de ciel enfantin. Solange se demandait à quelles fins Michaud regardait ainsi ses jambes et si ces curiosités n'étaient qu'un prélude. Depuis longtemps, elle avait envisagé et classé toutes les hypothèses intéressant l'un et l'autre patrons, mais sans pouvoir s'arrêter à une ligne de conduite. Selon les jours, l'humeur, elle se sentait disposée à un refus hautain ou à des accommodements qui ménageraient des facilités aux deux associés. Le rêve eût été de voir l'un d'eux se porter au suicide par désespoir amoureux, mais ces choses-là, il faut s'y résigner, arrivent bien rarement, surtout chez les vieux melons. En fait, depuis plus d'un an qu'elle travaillait à la Société de Gérance immobilière, Solange commençait à trouver désobligeant pour ses jambes et pour l'éclat de ses vingt-cinq ans, le respect que d'ailleurs elle jugeait lui être dû. Cette réserve lui donnait à penser sur son nez qui était long et d'une forme étirée, sans autorité.

Michaud était encore occupé au courrier avec elle lorsque Lolivier vint lui faire part, pendant qu'il y pensait, d'une nouvelle qui lui était arrivée la veille de Vichy par le canal du cousin d'un attaché de cabinet. Sous les auspices du président de la République turque, une conférence secrète venait de s'ouvrir à Ankara entre Gœring, Eden et Molotov. Certes, l'information était des plus douteuses, pour ne pas dire absurde, mais il était intéressant de faire semblant d'y croire. Solange, le crayon suspendu, calculait un angle de vue efficace pour ses belles jambes. Dans un coin du bureau, Eusèbe, les yeux tristes et remplis d'une douceur végétale, fabriquait des enveloppes inutilisables en rêvant à un pied de chaise dont l'image oubliée revenait, en pièce détachée, flotter dans sa mémoire. Michaud, non moins incrédule que Lolivier, accepta de considérer comme vraisemblable la nouvelle de la conférence secrète. Ils commencèrent par comparer les atouts qu'avait en main chacun des délégués et bien qu'ils ne fussent pas d'accord sur l'essentiel, le ton de l'entretien resta presque courtois pendant un moment. Mais en pareil cas, Michaud en venait toujours à examiner la substance morale du débat qui prenait alors un tour orageux. Lolivier, lui, considérait la morale comme le code de la force victorieuse. « Les adversaires ne se gênent d'ailleurs pas pour nous le dire : la meilleure doctrine sera la plus efficace. En attendant, la morale est en suspens. » Une fois de plus, la dispute s'aigrit. Michaud accusa son associé de se vautrer dans un fatalisme primaire et de s'enivrer aux facilités d'un matérialisme entendu de travers. Lolivier lui reprocha de parler comme s'il était encore un professeur chargé d'introduire des commodités idéalistes dans des cervelles de jeunes bourgeois. Solange plaçait parfois une incidence indéniablement raisonnable, mais irritante : « Comme disait mon oncle Henri, on discute et on n'est pas plus avancé après qu'avant. » Ou : « Faire la guerre, c'est bête, ce serait si facile de s'entendre. » Les deux adversaires lui jetaient un mauvais regard et reprenaient leurs arguments. Lolivier essayait de se tenir à un ton doucereux qu'il savait insupportable et qui eut bientôt son plein effet. Soudain, Michaud desserra son nœud de cravate qui l'étranglait, son visage devint rouge et il se mit à invectiver.

— Face de bougnat, cul-terreux auverpin, avec toute

ta suffisance de matois, tu peux ratiociner pendant vingt ans, tu ne seras jamais qu'un margoulin de la dialectique, un bricoleur de rachures positivistes.

— Je te l'ai toujours dit, dommage que tu ne sois pas resté dans l'enseignement, tu aurais sûrement la Légion d'honneur.

— Je t'emmerde. Solange, écrivez : « J'ai le plaisir de vous informer que la cuvette de vos cabinets pourra être remplacée la semaine prochaine sous réserve... » Tiens je préfère me marrer franchement. Lolivier, pétroleuse autarchistes, Lolivier dilettante auvergnat du réalisme opportuniste, Lolivier frôlé par l'ange noir du nietzschéisme!

— Demandez le crédo du social mou, revu et corrigé par l'expérience rutabaga.

— La bêtise, la mauvaise foi, l'orgueil, tu as tout pour toi. Allons, fous-moi la paix. Je travaille, moi. Je gagne ma vie. Solange, qu'est-ce que...

— La cuvette, monsieur Michaud.

— Au lieu de te cacher derrière des raisonnements boiteux, tu ferais mieux d'avouer carrément tes sympathies.

— Quelles sympathies? demanda Lolivier.

— Solange, écrivez...

— Laisse Solange tranquille, sale hypocrite, et réponds franchement, pour une fois.

— Parfaitement, tes sympathies pour un certain réalisme qui voudrait se justifier...

— Bref, mes sympathies pour l'hitlérisme.

— Je ne te le fais pas dire.

Les deux associés s'étaient rapprochés et, nez à nez,

se regardaient férocement. Ils éclatèrent en même temps, vociférant à pleine gorge et sans prendre haleine, leurs deux voix confondues de telle sorte que Solange et Eusèbe n'entendaient qu'un gueulement à peu près indistinct où dominait parfois une injure plus sonore telle que menteur ou saligaud. Le timbre de la porte d'entrée les fit taire et leur rendit la conscience de leurs obligations professionnelles. Ils se regardaient encore avec des yeux pleins de haine lorsque Eusèbe vint annoncer que Mme Lebon demandait à voir M. Michaud.

— Fais-la attendre une minute.

Michaud rajusta sa cravate, tapota son veston et passa ses doigts dans ses durs cheveux gris. Soudain, il se tourna vers Lolivier et lui demanda d'une voix rude, encore chargée de rancune :

— La nuit, quand tu rêves, est-ce que tu vois les choses en couleurs, toi?

Lolivier réfléchit un instant et secoua la tête.

— Non, ma foi, du moins je ne crois pas. Je me rappelle nettement un rêve que j'ai fait cette nuit. Tout était comme en photo. Et encore, les noirs et les blancs sortaient beaucoup moins bien. Au fond, les tons ne sont pas ceux de la photo. Tiens, je ne sais plus. En tout cas, pas de couleurs.

— Moi non plus, je ne me souviens pas d'avoir rêvé de couleurs. Il n'y a pas longtemps, j'ai même rêvé d'un jardin en fleurs. C'était le jardin de mon père. Et je suis absolument sûr qu'il n'y avait pas de couleurs.

— Moi, dit Solange, c'est le contraire. Dans mes rêves, il y a toujours des couleurs épatantes, du rouge, du vert, du mauve, tout.

Les deux associés se regardèrent. Ils ne croyaient pas qu'il y eût des couleurs dans les rêves de Solange.

— Dépêchez-vous de taper le courrier, dit Michaud.

III

Le professeur d'histoire [1] parlait des Girondins avec une sympathie qui ne s'avoue plus guère depuis vingt ans. Dans la deuxième demi-heure de son cours, il n'en était plus à formuler un jugement ou une critique et laissait aller son cœur meurtri par la défaite, l'occupation et l'impuissance des hommes sensibles. Il s'échappait librement vers la romanesque aventure de cette belle jeunesse bourgeoise grouillante et verbifiante comme un tas de carabins. Dans ce temps-là, il n'y avait pas besoin de vaincre

1. Le professeur d'histoire Gustave Bon avait épousé en 1925 une jeune fille prénommée Irma, d'un caractère autoritaire, d'une intelligence courte et aiguë. Elle avait un sentiment juste des réalités utiles, une grande méfiance des idées et un génie organisateur et inquisiteur auquel son existence d'épouse de fonctionnaire n'offrait que des occasions médiocres. Comme elle n'était pas tentée par les plaisirs de l'adultère, ces dispositions pesaient lourdement sur l'existence du professeur, lequel aimait les fleurs, les prés, le socialisme, l'accordéon, les cols Claudine et les plaquettes de poésie. A force de subir l'humeur d'Irma, il en était venu à distinguer dans l'histoire de l'humanité deux grands courants d'évolution qu'il appelait l'irmaïsme et le gustavisme. En 1936, il avait cru au triomphe du gustavisme, en mai 40 à celui de l'irmaïsme, en août 44 au retour définitif du gustavisme. Aujourd'hui, le professeur est triste. Il essaie courageusement de ne pas désespérer du gustavisme.

pour fleurir dans la mort comme dans la vie. Quoique attentif, l'auditoire ne communiait pas. Les élèves suivaient avec intérêt, mais l'air froid, et un peu comme on écoute une histoire de cocu.

Antoine, fidèle à une habitude déjà ancienne, n'écoutait pas la leçon d'histoire et lisait *Tartufe.* Malgré lui, la prose du professeur se mêlait aux vers de Molière et, parfois, une cafarderie de Tartufe semblait répondre à l'éloquence sublime d'un Vergniaud ou d'un Barbaroux. L'élève Michaud Antoine n'avait pas d'antipathie pour les Girondins, mais pensait que la science historique est une écœurante absurdité qui gâte le plaisir de vivre aux générations héritières en leur ôtant les joies de découvrir la vie dans leurs propres élans; que c'était comme si on préparait les hommes aux joies de l'amour en leur apprenant dès l'école maternelle le mécanisme du coït dans un abécédaire illustré de vagins, de prostates et autres saletés. Il n'aurait pas osé le dire à son père qui était naturellement très friand d'histoire (les vieux s'embêtent dans la vie), mais la seule histoire qui, à la rigueur, lui parût valable était celle qu'on enseigne dans certains pensionnats de jeunes filles, une histoire peuplée de saints Louis, de Bayards et de sergents Bobillot, à part quoi, tout le reste était à ses yeux excrément cafardeux, bavure du passé sur le présent. Il aurait pu d'ailleurs faire les mêmes observations sur Tartufe. Pourquoi nous flanquer cette charogne sous le nez quand la vie est si belle et si doux l'amour? Et plus généralement, pourquoi faut-il que nos existences, au lieu de s'élancer de leurs propres matins, se règlent sur les cogitations de vieilles gens décorés? L'élève Michaud Antoine se demandait ce qu'il fichait au lycée.

Au premier rang des élèves, Pierre Tiercelin, l'ami le plus intime d'Antoine, ne quittait pas des yeux le professeur d'histoire. Très bien vêtu, très beau garçon, il était toujours d'une correction et d'une politesse distantes qui lui valaient généralement la considération hostile de ses camarades. On gardait encore le souvenir d'une raclée qu'il avait flanquée, deux ans plus tôt, à un élève de philosophie qui l'avait provoqué à la sortie du lycée. Fils d'un restaurateur de la rue de La Rochefoucauld, le barman du sous-sol, dans un esprit swing, l'avait surnommé Paul à cause de son prénom de Pierre, et il était Paul pour son ami Antoine Michaud. Bien qu'il fût à peu près imperméable au romanesque sublime et au romanesque en général, Paul Tiercelin ne nourrissait aucune prévention à l'égard de l'histoire. La vie des grands hommes l'avait toujours intéressé. Il suivait sans distraction la leçon du professeur et éprouvait pour les Girondins le même sentiment de sympathie distante que lui inspiraient, au bar paternel, les puceaux de bonne famille promis à la voracité des filles.

A la sortie du lycée, les deux amis firent un peu de chemin ensemble. Les hautes branches des arbres se perdaient dans un ciel bas et blanc de brume, qui mouillait la chaussée et les trottoirs du boulevard de Clichy. Parmi les passants déambulaient, guettés par les filles, des soldats allemands habillés en réséda, en kaki et en aubergine. A l'approche du soir, les cafés commençaient à se peupler et de certains bars s'échappaient, à plein bouton de radio, des bouffées de musique beuglante auxquelles se mêlaient des cris et des rires de putains. Attentives aux policiers, des négresses embusquées jouaient des hanches et des prunelles pour essayer de troubler des guerriers racistes. Un vieux monsieur haut colleté, qui avait peut-être encore l'estime de sa concierge, tendait la main en chantant le grand air de Lakmé. Ce mouvement des trottoirs, Paul l'observait comme un turfiste un champ de course et, grâce à l'expérience acquise au bar de son père, en apercevait les ressorts secrets.

Les femmes regardaient avec intérêt, parfois insistance, ce grand garçon élégant, mais Paul accueillait les œillades avec une indifférence parfaite qui n'avait rien d'affecté. De temps à autre, il reconnaissait une cliente de l'établissement paternel. Il la saluait d'un sourire, mais son beau visage restait sérieux. Vêtu d'un pardessus râpé qui avait appartenu à son frère, Antoine, à côté de ce camarade cossu, faisait figure de collégien pauvre, peu soigné, et n'attirait pas les regards des passantes. Paul le remarquait presque sans y penser. Il savait depuis longtemps que le cœur des femmes bien habillées ne bat pas pour les garçons pauvres et croyait même que chez elles l'instinct sexuel est si averti des catégories sociales, qu'il leur sert de boussole pour se diriger dans le monde. Antoine ne prêtait d'ailleurs pas attention aux passantes. Une joie légère faisait paraître plus jeune encore son visage d'adolescent et à plusieurs reprises, Paul jeta de son côté un regard furtif, curieux de l'espèce de sourire intérieur dont le reflet éclairait les yeux de son compagnon. Comme ils arrivaient au coin de la rue Germain-Pilon, Antoine s'arrêta, mais Paul le poussa et dit :

— Non, pas ce soir.

— Tu es en froid avec Flora? demanda Antoine.

— Non. Mais tu sais, les femmes... J'y pensais tout à l'heure au cours d'histoire. Je me disais, faire l'amour, on se déshabille, ça prend du temps, et puis quoi, quand c'est fait, on n'a vraiment pas fait grand-chose.

Paul se tut, attendant de son compagnon une approbation qui ne vint pas.

— Faire l'amour, ça peut aller pour occuper des loisirs de retraité, mais quand on a nos âges, tu avoueras qu'on pourrait trouver à mieux employer son temps.

— Ça n'a jamais empêché de faire autre chose.

— Justement si, ça empêche. Tu n'as qu'à voir toi. Tu ne penses plus qu'à ça. Toujours les yeux noyés. Entre nous, ce n'est pas ce qui te donne l'air très intelligent.

Antoine rougit et murmura :

— Je l'aime, je ne m'en suis jamais caché.

— Le résultat, c'est que toi, le brillant élève de l'année dernière, tu es devenu un élève moyen dans mon genre et juste l'année du bac. Pour moi, les diplômes, la culture, c'est sans importance. Mais toi, tu es une petite nature délicate. Tu as besoin de t'orner l'esprit, de te faire un petit musée dans la tête pour le montrer aux connaisseurs. C'est avec ça que tu te défendras dans la vie et pas autrement.

— Je ne vois pas bien à quel métier tu peux penser.

— Mais tu comprends ce que je veux te dire. Et à cause d'Yvette, tu es en train de perdre ce qui t'est le plus nécessaire. Crois-moi, l'amour, c'est comme la pipe. Quand on a un tuyau de pipe entre les dents, on croit qu'on fait quelque chose d'important. Je le sais. Un soir, cet été, au bar, je parlais avec un type intelligent, et tout d'un coup, je me suis vu dans la glace. La mâchoire en avant, les yeux plissés, j'avais la tête à claque du monsieur qui se figure que sa pipe a réponse à tout. Je me suis supprimé la pipe. Et les femmes, je vais me les supprimer aussi. Pour ça, je n'ai pas besoin de me voir dans la glace, je n'ai qu'à te regarder. Tu te figures qu'en couchant avec Yvette, tu fais quelque chose de très important.

— Je ne me figure rien, je suis heureux, c'est tout. Je ne me pose pas de questions. Mais toi, qu'est-ce que tu peux avoir à faire de si important que Flora soit un empêchement?

— Rien, répondit Paul, mais j'ai besoin de me sentir en forme.

— En forme pour quoi?

La question d'Antoine resta sans réponse. Ils arrivaient au carrefour de la place Blanche. Avant de se séparer, Paul sortit une enveloppe de sa poche et la remit à son compagnon.

— Ta part de la semaine dernière. A propos, ne va pas t'imaginer que tu es un homme d'affaires parce que tu gagnes trente mille francs par mois à ce petit jeu là. C'est à la portée du premier venu, il suffit d'être dans le circuit. Encore un truc que j'ai bien envie de me supprimer, tiens. Bonsoir.

Antoine s'élança en courant dans la montée de la rue Lepic. Sur les trottoirs, des agents maintenaient les longues et épaisses colonnes de clients qui faisaient la queue à la porte des magasins d'alimentation. Rue Durantin, il s'engagea dans un couloir noir qu'emplissaient des relents de cuisine et de pourri et monta trois étages dans une demi-obscurité. Au coup de sonnette, une jeune femme, qui avait entendu son pas dans l'escalier, vint ouvrir la porte et se jeta contre lui. Ils étaient à peu près de la même taille, mais pour Yvette qui allait sur ses vingt-six ans, le temps de grandir était passé. Jolie, un visage finement modelé, des cheveux coiffés en crête et tombant en cascade sur la nuque, elle avait une grâce un peu alanguie et chacun de ses gestes et de ses regards semblait exprimer un regret de ne pouvoir s'attarder. Dans ses yeux passait un reflet d'eau lourde et paresseuse. Enlacés, ils traversèrent un vestibule miteux aux murs gondolés dont les boursouflures avaient fait éclater le papier déteint, et entrèrent dans une petite pièce claire aux tentures de couleur crème, qui tenait du boudoir par l'ameublement moderne et de la salle de bains par la profusion des glaces et des nickels où brillait l'argent du marché noir. Yvette entraîna le garçon sur le divan et, le regard lourd, lui prit la tête entre ses mains. Il répondait avec emportement aux cent questions qu'elle lui faisait chaque soir : s'il l'aimait, s'il l'aimait autant qu'au début de l'année, s'il avait pensé à elle cet après-midi.

Enfiévrée par ses propres paroles, Yvette regardait poindre une lueur de folie dans les yeux agrandis du garçon, lequel ne perdait d'ailleurs pas de vue qu'il s'agissait d'un jeu ou au moins d'une broderie.

— Je ne peux rester qu'une demi-heure. Je vais voir maman à la clinique. Tu as écrit à ton mari?

Yvette sourit avec un faux air de contrition, mais Antoine ne riait pas.

— Voyons, Yvette, il y a plus de huit jours que ta lettre devrait être partie. Je t'assure, tu n'es pas raisonnable. Ce pauvre homme, il ne vit que pour tes lettres, pense à ce que doit être la vie d'un prisonnier. C'est déjà assez triste.

— Pourquoi dis-tu ça?

— C'est la vérité.

— Mais si mon mari n'était pas prisonnier, je ne t'aurais jamais connu? Tu vois bien, chéri. Heureusement qu'il est prisonnier. Heureusement aussi qu'il y a eu la guerre et qu'on a été vaincus. Heureusement que tout, dis?

— Tais-toi, je veux que tu écrives aujourd'hui.

Antoine avait la douceur d'une fille et l'autorité d'un homme.

— Bon, je vais lui écrire. Mais je ne sais pas quoi lui dire, moi. Antoine, fais-moi un brouillon.

— Tu es folle. Je ne peux tout de même pas, moi...

— Tu ne m'aimes pas.

— D'ailleurs, je te l'ai dit, je suis pressé. Pense que je n'ai pas trouvé le temps de faire mon devoir de français pour demain.

— Pourquoi ne demanderais-tu pas à Coutelier de te le faire? J'irai le chercher tout à l'heure. Et même, tiens, j'y pense, il pourrait aussi bien me faire ma lettre.

— Ah! non, protesta Antoine. Mille fois non. C'est moi qui la ferai.

Il alla s'asseoir à un petit bureau d'angle, près de la fenêtre, et resta une minute à rassembler ses idées. Allongée à plat ventre sur le divan, Yvette le contemplait.

— Ne me regarde pas. Ça m'empêche d'écrire.

Il déplaça sa chaise pour lui masquer la vue du papier et commença à écrire: « J'ai bien reçu ta chère lettre du tant et mon cœur a battu très fort en l'ouvrant. J'ai toujours l'espoir que tu vas m'annoncer ton retour prochain et c'est ce qui m'aide à vivre en comptant les jours déjà si nombreux de notre séparation. Cette nuit encore, j'ai rêvé que je me glissais dans ton stalag et que tu m'attendais sur le seuil de ton baraquement Comme j'étais heureuse, Jean, et combien j'ai eu de chagrin en m'éveillant d'un si beau rêve. Cela n'a pas d'importance, car je suis sûre qu'un jour, la réalité sera encore plus belle et que nous serons réunis pour de bon, comme nous n'avons pas cessé de l'être en pensée. »

Il écrivait sans gêne ni remords, comme il se fût acquitté d'un exercice de style, avec une conscience qui comportait autant de sincérité que de sympathie.

— Chou n'est pas rentrée? demanda-t-il sans lever la plume.

— Si, mais je l'ai envoyée en commission.

— Elle a goûté?

— Je ne sais pas... non. La voilà. Je vais lui donner son goûter.

Une petite fille entra, jolie comme Yvette, mais dans l'œil, une lueur vive et franche.

— Chou, lui dit sa mère, je t'ai défendu d'entrer sans frapper. Combien de fois encore...

Antoine s'était retourné et lui tendait les bras. Chou y courut et ils se mirent à rire et à jouer.

— Laisse Antoine tranquille, dit Yvette. Il écrit à papa.

— Pourquoi?

— Viens goûter.

Antoine se remit à écrire : « Chou est vraiment une bonne petite fille qui a beaucoup de cœur et, pour ses six ans, une intelligence très éveillée. Tu peux être fier d'elle. Toutes les deux, nous parlons très souvent de toi. »

Chou revint de la cuisine avec une épaisse tranche de pain beurrée dans chaque main.

— Il y en a une pour toi.

— Tu es gentille, Chou, mais je te donne ma part. Je ne goûte jamais, moi, tu sais bien.

Devinant qu'il était tenté, Chou insista et lui mit les tartines sous le nez. Antoine eut besoin de faire un grand effort de volonté pour ne pas céder. Sur le chapitre de la nourriture, il ne voulait pas profiter des possibilités que lui offraient les trente ou trente-cinq mille francs par mois qu'il gagnait au marché noir et s'interdisait de rien manger au-dehors qui l'avantageât sur sa famille à cet égard. La lutte était souvent difficile, mais jusqu'alors, il ne s'était pas écarté de sa ligne de conduite, sauf obligation, et connaissait les mêmes fringales que ses frère et sœur. Yvette introduisit un homme à cheveux blancs, manchettes, faux col dur et ruban rouge.

— Monsieur l'Inspecteur, dit Antoine, après salutations et préambules, j'ai une rédaction à remettre demain soir et je n'ai pas le temps de la faire. Si vous pouviez me faire quatre pages, je les recopierais ce soir.

M. Coutelier, inspecteur primaire en retraite, sentit à cette proposition se cabrer sa conscience d'éducateur, et son sourire, qu'il avait voulu aimable, s'effaça de son visage. Dans le moment, il oubliait ses quatre petits-enfants qui se trouvaient, du fait de la guerre, entièrement à sa charge, la mère tuée pendant l'exode de 40 et le père, juif, interné à Drancy. N'ayant de revenus que sa retraite de fonctionnaire et son grand âge ne lui permettant pas d'accéder à un emploi régulièrement rétribué, il gagnait un peu d'argent à se rendre utile aux voisins et à quelques commerçants du quartier, recevait des pourboires, faisait des courses, prenait la queue à la porte d'une boutique ou à un guichet de mairie, collait des tickets pour un épicier de la rue Lepic et gardait parfois la loge d'une concierge. Admirable de dévouement, il se trouvait lui-même d'une grandeur antique et vivait constamment avec la pensée du plaisant contraste entre les besognes auxquelles il lui fallait descendre et sa haute sagesse d'inspecteur.

— Monsieur, répondit-il de cette voix glacée qui faisait transpirer les instituteurs en 1920, vous me demandez de vous rendre un bien mauvais service.

Antoine, rougissant, s'excusa sur la maladie de sa mère. Il n'en sortait pas, ce que voyant, Yvette trancha :

— Deux cents francs, monsieur Coutelier.

— Croyez bien, Madame...

— Trois cents.

A ces mots, l'inspecteur se représenta vivement l'état dans lequel il avait vu le matin même les culottes de ses deux petits-fils. Sans compter l'usure du tissu, qui était déjà alarmante, elles cachaient à peine la moitié de leurs cuisses.

— Exceptionnellement, étant donné les circonstances... De quoi s'agit-il?

— Voilà le sujet: expliquez comment se forme et grandit en nous l'idée de patrie et pourquoi, loin de nous détourner de l'amour de l'humanité tout entière, elle nous y conduit naturellement.

— Beau sujet. Admirable sujet. La patrie. L'humanité. Seule, la France possède le secret de ces harmoniques. C'est pourquoi elle est éternelle, monsieur.

— C'est évident, dit Antoine. Je vous demanderai de ne pas faire un devoir trop long. J'aurai très peu de temps pour le recopier.

— Tant pis, je me bornerai à l'essentiel, mais il y a beaucoup à dire.

— Si vous voulez bien, monsieur l'Inspecteur, je vais vous régler.

Il tira de sa poche l'argent que lui avait donné Tiercelin. Considérant cette poignée de billets de mille entre les pattes d'un gamin, le vieillard flaira un commerce suspect entre la jeune femme et Antoine. A son estime, le garçon était trop jeune pour qu'il s'agît d'une complicité d'amants, mais tous deux pouvaient être des rouages dans une organisation de marché noir. Il voyait là une explication relativement honorable des toilettes élégantes d'Yvette, et du clinquant coûteux de son boudoir. A ses yeux, le marché noir était un phénomène régi par la loi de l'offre et de la demande, presque une survivance héroïque de l'économie libérale faisant échec au fascisme oppresseur, et son illégalité n'était pas un grief qu'on pût lui faire sérieusement dans une époque où les interdits portaient tous plus ou moins la marque de l'occupant.

— Vous êtes bien jeune pour manier d'aussi grosses sommes, ne put-il néanmoins s'empêcher de faire observer.

Antoine ne trouvait rien à répondre, honteux et gêné comme un enfant surpris par une grande personne en train de fumer une cigarette. Yvette lui prit des mains trois billets de cent francs et dit en les donnant à l'inspecteur :

— Voilà votre compte. Mais j'y pense. Antoine, tu pourrais peut-être employer ce pauvre homme qui a besoin de gagner sa vie. Tu lui donnerais à placer du café ou des cigarettes.

Elle passa ses bras autour du cou d'Antoine et lui baisa la bouche avec un emportement ostentatoire.

— Hein, chéri, tu essaieras de l'employer?

— Madame, riposta le vieillard, je vous sais gré de

votre bonté, mais je me sens peu de disposition pour ce genre d'activité et je craindrais de décevoir monsieur votre fils.

Il inclina la tête et se dirigea vers la porte qu'Yvette claqua derrière lui. Antoine, accablé par la confusion, s'assit sur le divan. L'étonnement manifesté par le vieil homme au sujet des billets de mille lui avait paru des plus légitimes. Lui-même ne pensait jamais sans un déchirement de conscience à l'énormité de ses gains. Ce n'était pas qu'il eût scrupule de faire du marché noir, mais il avait appris dans sa famille à considérer l'argent superflu comme le péché du monde, et les dizaines de mille francs gagnés sans effort et dépensés par Yvette avec une puérile légèreté lui semblaient insulter à la peine et aux soucis quotidiens de ses parents. Son désir de trouver un biais pour améliorer les menus de la famille était même traversé par certaines hésitations et par la crainte que cette pieuse supercherie ne fût, à tout prendre, qu'une trahison.

— Qu'est-ce que tu as? Je t'ai fâché. Tu m'en veux d'avoir remis le vieux à sa place? C'est de sa faute. Il n'avait qu'à être plus discret. Pour un peu, il t'aurait accusé d'avoir volé l'argent.

— Il s'est étonné de me voir tant d'argent dans les mains. Le fait est que c'est étonnant. Et encore, il ne savait pas que ces huit mille cinq cents francs, j'ai mis une semaine à les gagner. Mon père, lui, met un mois entier. Et il a beaucoup plus de mal que moi.

— C'est regrettable pour lui, mais tout ça ne regarde pas Coutelier.

— Il aurait pu ne pas en parler. Un homme plus habile et moins honnête n'aurait rien dit. Maintenant que tu lui as fait comprendre ce que nous sommes l'un pour l'autre, il a de quoi s'étonner un peu plus.

— La tête du vieux quand il nous a vus bouche à bouche.

Au souvenir, Yvette se mit à rire. Antoine lui-même, malgré sa mélancolie et son inquiétude, ne put s'empêcher de rire aussi, mais presque aussitôt, son visage d'adolescent retrouvait son expression de tristesse sérieuse. En repensant à l'incident et à la riposte du vieillard, l'idée lui venait que l'amour d'Yvette avait été aussi facile que l'argent du marché noir, lequel avait joué dans l'aventure et jouait encore un rôle peut-être plus important qu'il ne semblait à première vue. Antoine ne doutait pas des sentiments de la jeune femme, mais il se rappelait avoir entendu dire à Tiercelin que les sentiments des femmes, voire les plus spontanés, se décident presque toujours sur des considérations raisonnables et que l'argent fait partie du sexe-appel masculin. Comme toujours, Tiercelin avait affirmé là une certitude intime, car il ne cherchait jamais à se rendre intéressant. En admettant même que son expérience fût limitée à un certain milieu, c'était précisément dans ce milieu, celui du bar de la *Pomme d'Adam,* qu'Antoine avait rencontré Yvette. D'ailleurs, il venait d'en avoir la révélation, une intimité d'amants, même heureuse, n'implique pas nécessairement des accords bien profonds, ni des points de contact très nombreux.

— Chéri, tu es triste, je veux savoir pourquoi.

La gorge serrée, Antoine ne répondait pas, craignant de livrer quelques-unes des pensées qui l'agitaient. Il avait posé sur le divan sa liasse de billets de mille francs qu'il considérait d'un œil hostile. Yvette s'assit à son côté et, lui prenant la tête entre ses mains, chercha son regard. Il résistait, d'un effort immobile, et tenait les paupières baissées. Enfin, il cessa de se raidir et, leurs regards s'étant rencontrés, elle déclara d'une voix altérée, avec une exaltation qui enflammait son visage :

— Antoine, je ne veux plus que tu fasses de marché noir. C'est fini, tu vas me le jurer. Demain, je chercherai du travail. L'inspecteur a raison, tu es trop jeune pour t'occuper d'argent et de trafic. Plutôt que de te laisser continuer, j'aimerais mieux ne plus te voir, chéri. Mais je travaillerai, et nous serons plus heureux. Entre nous, il n'y aura plus cet argent qui nous fait peur et qui dénature tout. Si tu savais comme je m'en veux de ne pas t'avoir dit ça plus tôt!

Honteux des mauvaises pensées auxquelles il venait de se laisser aller, mais rassuré et heureux, Antoine se sentait de nouveau enveloppé par le tendre brouillard de l'amour, qu'une désobligeante réalité avait un moment dissipé et où semblaient maintenant se fondre deux êtres et deux volontés. Il s'accusa d'avoir ruminé de monstrueuses inepties et fondit dans les bras d'Yvette qui mêla ses larmes aux siennes. Chou, une fois de plus, entra sans frapper. Ce n'était pas la première fois qu'elle voyait sa mère embrasser Antoine et le palper. Elle-même avait plaisir à lui sauter au cou et à le chatouiller, mais elle trouvait que pour une femme, c'était un jeu bête. Comme elle s'approchait pour considérer leurs jeux, ils se déprirent et, lentement, tournèrent de son côté des regards lourds et des faces abruties, d'une gravité animale. Un peu effrayée, Chou les regardait, bouche bée, la mine ahurie, en sorte qu'ils semblaient s'éveiller tous les trois d'un même sommeil. Yvette sourit, amusée. Antoine se souvint à haute voix qu'il était tard et, gêné par le regard de Chou, s'affaira à chercher ses livres et son pardessus.

— Chéri, j'ai oublié de te dire que Marco a téléphoné tout à l'heure pour demander si tu avais encore des anglaises.

— Pas une, mais j'en aurai sûrement demain. Ce sera soixante-dix francs. Il n'a pas parlé non plus de chocolat?

— C'est moi qui lui en ai parlé, mais il a tout de suite parlé d'autre chose. Ça m'a paru drôle. Je me demande si le barman de Paul ne te détourne pas des clients. Tu devrais demander à Paul de te donner la marchandise. Comme elle ne tient pas beaucoup de place, on la caserait dans la chambre de Chou.

— Ce serait un risque pour nous deux. Même s'il y a quelques inconvénients, j'aime mieux n'être qu'un simple commissionnaire. C'est plus simple et plus sûr.

— Mais tu gagnes moins d'argent. Je t'assure, réfléchis.

Dans la rue, Antoine souriait encore de la charmante inconséquence d'Yvette. Sans savoir comment il y était amené, il se prit à songer à certaine espèce de menteurs dont chaque mensonge est un enchaînement d'authentiques accès de sincérité. Il avait, parmi les élèves de sa classe, un camarade qui pratiquait couramment ce genre de mensonge cordial et il avait appris très vite à voir clair dans son cas.

Pierrette et Frédéric étaient auprès de leur mère. Assis à son chevet, dans un silence gêné, ils la regardaient souffrir et se raidir contre les douleurs qui la tenaient au ventre. Pâle, le visage défait, les yeux enfoncés dans un cerne bleuâtre, Hélène Michaud tournait parfois vers ses deux enfants un regard brillant de douceur et d'amour, que la souffrance ternissait aussitôt. Pierrette s'étudiait à lui offrir un visage compatissant, mais discrètement optimiste, qui répondît de ses bons sentiments tout en rassurant la mère sur son état. Peu capable de se composer des mines, Frédéric, le visage inexpressif, trouvait le temps long, mais n'éprouvait pas moins que sa sœur le remords que cette souffrance si proche n'éveillât pas en lui de résonances plus directes. L'arrivée d'Antoine fut pour eux un soulagement. Entre sa mère et lui existait une intimité particulière due à une affinité de cœur et d'esprit, à un sentiment des nuances qui leur permettait de se comprendre d'un regard et de souffrir ensemble d'une attitude ou d'un propos maladroit échappé en leur présence. Depuis qu'Antoine était devenu un adolescent, leur mutuelle confiance allait jusqu'à une espèce de complicité pour le bien de la famille, mais ces ententes à demi-mot n'avaient jamais rien de concerté et semblaient être des rencontres. Dans le jeu discret de ces échanges, il était de beaucoup le plus pénétrant. Hélène Michaud, par exemple, n'avait presque rien deviné des amours de son fils alors qu'il avait compris depuis longtemps de quelles incompatibilités résultait le secret désaccord qui, sous l'apparence d'une bonne entente, existait entre ses parents. Antoine avait une subtile intelligence des êtres qui, en ce qui concernait les siens, était servie par une affection attentive. Il était le premier qui eût soupçonné la gravité d'un mal que sa mère s'efforçait de cacher et, averti par sa tendresse, le seul à en avoir suivi les progrès sur son visage. C'était aussi sur ses instances qu'elle avait consenti à se faire soigner et, finalement, à entrer dans une clinique. Hélène Michaud savait mieux que personne apprécier les dons de ce fils un peu préféré, mais s'alarmait parfois de voir en lui une indulgence au-dessus de son âge et une acceptation trop raisonnable de la réalité, qui lui paraissaient peu compatibles avec le goût des disciplines morales vraiment robustes. Elle en voulait du reste à son mari de l'avoir détourné, en même temps que ses autres enfants, de toute pratique religieuse.

Antoine s'assit auprès de sa mère et parvint à la distraire un peu de ses souffrances en l'intéressant à la vie du foyer. Il s'appliquait moins à la rassurer sur la bonne marche de la maison qu'à lui représenter combien son absence lui était préjudiciable, sachant bien qu'en son for intérieur et malgré son inquiétude de sentir les siens abandonnés à eux-mêmes, elle craignait par-dessus tout que sa présence s'avérât comme n'étant aucunement indispensable. En l'instruisant ainsi des difficultés ménagères, il n'oubliait pas de faire valoir les initiatives de Pierrette, de Frédéric et du père, et de prêter à chacun un rôle avantageux. Il avait le souci constant de maintenir au sein de la famille la concorde et l'harmonie, excellant à calmer les amours-propres et à voiler décemment les égoïsmes. Depuis qu'il était là, Hélène s'abandonnait, malgré ses souffrances, au doux bonheur de se sentir appelée au foyer avec tant de ferveur. Comme Antoine évoquait le repas de midi, Pierrette parla d'un vieux plat ébréché, et le souvenir de cet objet familier émut si vivement la mère qu'elle eut une crise de larmes. Croyant à quelque funeste pressentiment, les enfants, bouleversés, penchèrent leurs visages en pleurs sur celui de la malade. Frédéric, d'un naturel peu sensible, se trouva surpris par l'émotion et se mit à sangloter comme un saxophone, sur quoi, prise de panique, Pierrette sanglota aussi en appelant sa mère qu'elle tenait embrassée.

— Taisez-vous! protestait Antoine. Vous êtes idiots.

Michaud, qui venait d'arriver à la clinique, entendit derrière la porte d'Hélène ce concert de hauts sanglots. Il entra, blême de peur, vit ses enfants abattus sur le chevet de leur mère qu'ils lui dissimulaient.

— Qu'est-ce qu'il y a? s'écria-t-il d'une voix tremblante.

Hélène, écartant Pierrette, tourna vers lui son visage encore mouillé de larmes et lui expliqua comment elle s'était laissé surprendre par un attendrissement hors de propos. Frédéric, qui n'avait pu s'apaiser sur-le-champ, s'était levé et pleurait encore à coups d'épaules. La peur de Michaud se changea en colère. Prenant à partie son fils aîné, il l'appela grand cornichon et lui dit : « Fiche-moi le camp et emmène ta sœur. » Antoine resta encore un moment, seul avec ses parents. Michaud regardait sa femme avec une sollicitude pleine de tendresse et de compassion, s'informant si elle souffrait beaucoup, si elle avait assez chaud et retapant son oreiller. Hélène lui en était reconnaissante et savait le lui témoigner. Mais cette minute fervente ne comblait ni ne leur dissimulait la distance qui les avait toujours séparés. Antoine s'était souvent demandé pourquoi, lorsqu'ils s'entretenaient de l'objet le plus banal, ses parents ne semblaient jamais parler d'une même chose. C'était un peu comme si l'un était myope et l'autre presbyte. Pour Michaud, la famille, le mariage, le travail, l'entrecôte n'étaient que les agencements ou les matériaux de vastes ensembles toujours plus ou moins présents à son esprit et qu'il n'avait jamais fini de reconstruire et de retoucher. Dans cet univers mouvant, il n'y avait de place immuable pour rien et l'ordre et la valeur des choses étaient au gré de sa pensée. Dans un ménage, c'est agaçant. Michaud vivait en outre avec la nostalgie d'un bonheur dont la réalisation était peu concevable et les données, essentiellement changeantes, dépendaient des mouvements de son imagination. Pour Hélène, l'univers se développait à partir du foyer familial et le bonheur était une citadelle solidement assise dont elle avait entrepris le siège avec une volonté patiente, sans espoir déraisonnable, et en regrettant que l'époux n'y prît presque point de part.

En regardant ce gros homme doux et fort et généreux, cette femme au visage amaigri sous les cheveux presque blancs, si forte, elle aussi, et avide de donner aux siens, Antoine pensait une fois de plus au fossé infranchissable creusé à jamais entre deux êtres qui s'aimaient d'étroite tendresse. A vrai dire, il sentait vivement ce désaccord essentiel sans pouvoir en préciser la nature et ne faisait qu'en reconnaître au passage les manifestations. Toutefois, depuis qu'il connaissait Yvette, une explication, qui avait le mérite d'être simple, s'était peu à peu imposée à son esprit. Il avait découvert que son père était un homme et sa mère une femme, tous les deux d'une bonne étoffe solide et bon teint, n'étant pas de ces époux dont chacun fait la moitié du chemin pour s'enliser dans la paix d'un juste milieu.

— Antoine t'a parlé de ce camarade qui l'a invité à la campagne? demanda Michaud.

— Non, pas encore, dit Antoine. C'est Tiercelin, un camarade de classe, qui voudrait que j'aille passer quelques jours avec lui en Bourgogne pendant les vacances de Pâques.

— Ce serait bien, répondit Hélène. Tu en as sûrement besoin. Je trouve que tu as maigri.

— Il faut que je vous demande quelque chose, dit Michaud en souriant. Quand vous rêvez, est-ce que vous voyez les choses en couleur?

IV

Michaud n'entrait jamais sans éprouver un sentiment de gêne dans le bel immeuble de la rue de Prony, dont la société assumait la gérance depuis 1940. Dès le vestibule, au milieu des marbres et des glaces, en foulant l'épais tapis beige qui amorçait la perspective de l'escalier, il lui semblait être le complice de la richesse. Les concierges, habitués autrefois aux chapeaux melons et à la correction glacée du propriétaire, accueillaient avec une bienveillance hautaine ce gérant négligemment vêtu qui n'avait pas la classe d'un gérant d'immeubles de la plaine Monceau.

— Bonjour, dit Michaud en gardant à dessein son chapeau sur sa tête. Les ouvriers sont venus?

— Hé oui, soupira le concierge. Vos ouvriers sont venus.

— J'en sais quelque chose, dit la concierge avec amertume. Ils ont trouvé moyen de salir le grand escalier.

Ils étaient assis à une table d'ébène, elle tricotant, lui lisant un gros dictionnaire de médecine ouvert à une page pleine de boyaux coloriés, vrais comme dans la vie, presque fumants. La loge, meublée par le propriétaire qui avait assigné à chaque objet une place définitive, ressemblait à une cabine de luxe de transatlantique. Les concierges avaient des visages roses et portaient des vêtements soignés, pas plus élégants qu'il n'est convenable à des gens de leur état. Michaud s'informa si les travaux avaient été bien faits.

— Ce n'est pas ce qu'on appelle un travail fini, prononça le concierge. Je ne veux pas dire de mal de votre entrepreneur, mais on sent qu'il n'a pas l'habitude de maisons comme celle-ci. L'entrepreneur de M. Puget, c'était autre chose. Ses ouvriers travaillaient comme des chirurgiens. A propos, j'ai eu des nouvelles de M. Puget. Il vous fait dire de vérifier l'installation du chauffage central.

— Il pense venir à Paris bientôt?

Les concierges regardèrent Michaud avec reproche.

— Non, M. Puget ne rentrera pas à Paris avant la fin de la guerre. Il ne veut pas avoir de contact avec les Allemands. Chez lui, c'est l'honneur qui domine. Il a beau aimer ses immeubles, il n'admettra jamais de marcher sur le même trottoir qu'un ennemi [1].

Le concierge prit la parole à son tour pour louer le patriotisme de M. Puget. Aimant son pays avant toutes

1. M. Puget ne devait rentrer à Paris qu'au début de 1943. La promiscuité des Allemands lui fut moins pénible qu'il n'avait imaginé. Depuis la libération et de plus en plus, il regrette le temps de l'occupation ou du moins les promesses d'ordre et de sécurité que la défaite l'a empêchée de tenir. Tout compte fait, il ne voit pas ce qui pouvait arriver de pire que la montée du communisme, les nationalisations et les menaces d'appauvrissement qui pèsent sur les locataires des immeubles cossus. Toutefois, il espère qu'un homme à poigne ramènera l'ordre. la sécurité, la richesse et qu'une guerre éclatera bientôt entre les Etats-Unis et la Russie soviétique. Ses concierges pensent comme lui.

choses, il mettait ses capacités et son caractère au service de ses concitoyens. Le ministre de l'Agriculture de Vichy l'avait chargé d'une mission dans le département de la Dordogne. Michaud s'esquiva pour monter aux étages et le concierge se remit à son dictionnaire de médecine. Il avait commencé l'ouvrage par les chapitres ayant trait aux organes de reproduction, et les boyaux, bien qu'il en reconnût l'utilité, lui semblaient d'un moindre intérêt.

— On a quand même un drôle de gérant, dit-il après bâiller. Je ne comprends pas M. Puget. Tu as vu ce pardessus râpé?

— Pour un peu, je lui aurais dit de prendre l'escalier de service. Et un homme qui n'a ni manières ni conversation. Quand je pense à M. Puget. On aurait passé des heures à causer avec lui.

— Ne va pas comparer M. Puget, il est du même monde que ses locataires. Immeubles à Paris, propriétés en province et caveau de famille à Passy. Michaud, lui, je voudrais voir où on l'enterrera.

Michaud ne se préoccupait pas du lieu de sa sépulture. En visitant les travaux effectués dans la salle de bain d'un locataire du premier, il avait trouvé celui-ci occupé à se faire la barbe. M. de Monboquin, ex-colonel de cavalerie, en retraite depuis 1930, s'était excusé d'un mot aimable et continuait à se barbifier lorsque sa femme, informée par la bonne de la présence du gérant, surgissait auprès des deux hommes.

— Comment, Emile, vous vous rasez? dit-elle d'une voix frémissante.

Le colonel, un petit homme fluet, eut un tressaillement de frayeur et, rencontrant dans la glace le regard de Mme de Monboquin, il baissa les yeux.

— Vous m'avez fait peur, dit-il d'une voix douce, j'ai failli me couper.

— Vous vous rasez. Ainsi, vous persistez dans votre volonté de sortir ce soir. Vous, un colonel de l'armée française. Regardez-moi donc en face.

M. de Monboquin tourna vers elle son visage ensavonné et, les paupières battantes d'émotion, soutint une seconde le dur regard de l'épouse.

— Ecoutez, Bertrande, soyez raisonnable. A quoi bon tout ce bruit pour une chose... une chose...

— Une chose? Vous voulez dire une saleté.

— Vous êtes injuste, mon amie. Je ne vois pas que l'archéologie soit une saleté. La civilisation celto-ligure...

— Emile, coupa Mme de Monboquin, ne soyez donc pas hypocrite. Il s'agit d'une saleté. L'archéologie n'est pas en cause.

Michaud, abrégeant son inspection, saluait ses locataires et cherchait la sortie.

— Monsieur, restez une minute, s'il vous plaît, lui dit la colonelle. Je veux vous prendre à témoin.

— Voyons, Bertrande, je vous en prie, protesta le petit vieillard. Cette affaire n'intéresse pas Monsieur.

— Et moi, je pense au contraire qu'elle intéressera Monsieur comme elle doit intéresser tous les bons Français.

Par déférence pour le malheureux colonel, Michaud feignit de vouloir se dérober, mais la curiosité le retenait. Mme de Monboquin exposa le cas. Son mari s'était déjà déshonoré une fois en publiant, sous la botte germanique, un petit livre où se trouvaient condensées certaines méditations relatives aux vestiges d'une florissante civilisation celto-ligure dans la vallée de l'Eure. Il croyait pouvoir s'en excuser sur le contenu de l'ouvrage, parfaitement étranger à l'actualité et n'offrant rien dont l'ennemi pût prendre avantage. N'empêche que le livre avait paru avec l'autorisation des Allemands et, pour tout dire, parce qu'ils l'avaient bien voulu.

— Mais tout ce que nous faisons : manger, dormir, circuler, ce n'est qu'autant qu'ils le veulent bien, fit observer le colonel.

— On dirait que vous vous en félicitez.

Le colonel n'était pas allé jusqu'à recevoir de l'argent de l'ennemi, mais certains journaux collaborationnistes, à la parution de son livre, en avaient touché un mot ou deux qui l'avaient grisé.

— Ne protestez pas, Emile, je sais ce que je dis — grisé, transporté d'orgueil et d'allégresse.

Mais ce n'était rien encore. Sa fièvre d'auteur touchait au délire depuis que l'Institut allemand l'avait invité à une conférence sur l'archéologie. Au lieu de se sentir insulté par cette invitation, il se sentait grandi.

— Mais pas du tout. Je cède à un mouvement de curiosité qui n'a rien de déplacé. La science est chose internationale.

— Si vous aviez un peu plus de cœur que de tête, vous n'iriez pas quêter des sourires et des compliments chez l'ennemi.

— Je m'étonne de vous entendre parler ainsi. Autrefois, il n'y a pas si longtemps, vous trouviez bon que M. de Saint-Préleau, votre aïeul, comme moi ancien militaire, eût été reçu à la table du prince Eugène lors de l'invasion de la France par les Impériaux. J'ajoute que vous vous en faisiez gloire.

— C'était au XVIIe siècle, répliqua Mme de Monboquin qui savait peu d'histoire. Les usages étaient différents.

— L'honneur n'est-il qu'un usage?

— Au lieu d'ergoter, vous feriez mieux de penser à notre fils. Car, Monsieur, vous ne savez pas le plus beau. Mon mari a un fils chez de Gaulle. Qu'en dites-vous?

Michaud était embarrassé. Sur le fond, il se sentait d'accord avec l'épouse, mais la détresse du colonel le touchait et il faisait des vœux pour que son projet réussît. Pressé d'une réponse, sa conviction l'emporta.

— Peut-être les jeunes gens qui entourent de Gaulle sont-ils moins formalistes que nous, quoiqu'ils n'en donnent guère l'impression. Et à vrai dire, il ne s'agit pas seulement de formalisme. Le prince Eugène pouvait recevoir à sa table l'aïeul de Mme de Monboquin. C'était un geste courtois qui ne couvrait pas un but de propagande.

— Qu'en savez-vous? riposta le colonel. La propagande n'est pas une invention de notre époque.

— En tout cas, ce n'était ni une arme de guerre ni une méthode de gouvernement. Autrefois, dans la paix comme dans la guerre, le hasard tenait plus de place que l'homme. Une armée avait plus à compter avec les intempéries et la maladie qu'avec l'armée ennemie. La diplomatie était à la chance d'un courrier. Un gouvernement ne répliquait à l'événement que longtemps après qu'il était arrivé et ne prévoyait que des marges de conduite, des lignes générales entre lesquelles l'individu bougeait...

En regard de cet autrefois, Michaud se laissa aller à décrire un monde dur, étroitement soumis à des règles de comptabilité, dans lequel les actions de chaque individu, ses paroles, ses pensées et ses repas se traduisaient en chiffres, lesquels figuraient à une vaste addition, dont le total représentait l'aboutissement d'une politique ou le résultat d'une bataille.

— En tant que colonel en retraite, officier de la Légion d'honneur et archéologue, votre personne se trouve affectée d'un certain coefficient de propagande, qui jouera pour la cause hitlérienne si vous vous rendez à l'invitation de l'Institut allemand.

M. de Monboquin semblait s'être tassé sous le poids de ces paroles inexorables. La barbe à moitié faite, il avait posé son rasoir et, les bras ballants, le corps mou, baissait la tête avec accablement.

— Vous avez certainement raison, murmura-t-il.

— Enfin, Emile, vous reconnaissez votre sottise. C'est heureux, mais il aura fallu que quelqu'un de plus averti que moi vous mette le nez dedans.

M. de Monboquin se passa un linge humide sur la figure.

— Vous n'êtes rasé que d'un côté. Finissez de vous raser. Ce n'est pas une raison parce que vous n'allez pas voir les Allemands...

Mais le colonel, ayant poudré sa joue rasée, se tourna vers Michaud, le salua d'une inclinaison de tête et quitta la salle de bain.

— Je suis sûre qu'il va se coucher. Depuis les restrictions, il a un caractère très difficile. Seule, j'aurais eu beaucoup de mal à l'empêcher d'aller là-bas et je n'y aurais peut-être pas réussi. Votre intervention l'a sauvé et probablement guéri une fois pour toutes.

— J'ai des remords, avoua Michaud. Après tout, il aurait pu aller à cette conférence sans faire tort à qui ou à quoi que ce soit et quant au point d'honneur, chacun pour soi. Je me demande comment j'ai pu me laisser entraîner à proférer de pareilles âneries. C'était contre ma pensée, contre mes raisons de vivre les plus profondes. Si le monde était devenu tel que je l'ai décrit à votre mari, le résultat de la guerre n'aurait aucune importance et la victoire d'un parti politique n'en aurait pas davantage.

Mme de Monboquin regardait avec une méfiance amusée ce gros homme chaleureux, peu soigné, à la merci des idées qui bouillaient dans sa grosse tête et tel que ses bonnes lectures l'avaient habituée à imaginer le révolutionnaire bon enfant — non moins dangereux que l'autre. Oubliant un peu sa présence, Michaud suivait le fil de sa pensée.

— C'est parce que je ne veux pas de ce monde-là que je suis gaulliste. Je crois à la liberté. Je suis avec de Gaulle pour que chacun soit libre d'être contre lui, pour que le colonel ait le droit d'aller à l'Institut allemand, pour que tout le monde puisse choisir d'être pro-anglais ou pro-allemand ou... Allons, se reprit Michaud, je dis encore une énormité. Je parle une fois de plus contre ma pensée. Au lieu de s'expliquer à tout prix, on ferait mieux de rester sur un certain sentiment des choses. Même vague, c'est encore ce qu'il y a de plus vrai.

— Tout à fait de votre avis. Moi qui suis très intuitive, je me comprends mieux dans le silence que dans la discussion.

Michaud fut encore mécontent de lui-même. L'approbation de Mme de Monboquin lui semblait condamner ses propres paroles.

— Quand on a une solide situation de fortune, on ne

risque rien à vouloir expliquer ses sentiments, dit-il avec mauvaise humeur.

Laissant la colonelle ruminer cette parole ambiguë, il prit congé avec brusquerie, pour ne pas s'exposer à se voir tendre la main d'un peu haut. En montant à pied au cinquième étage, il se reprocha d'abord d'avoir perdu le temps du gagne-pain avec les gens dorés et insignifiants, convint ensuite que le colonel ne méritait pas cette qualification désobligeante et regretta de n'avoir pas su prendre parti pour lui contre la vieille toupie. Pendant qu'il gravissait l'escalier, l'ascenseur le dépassa. Une belle jeune femme [1] longue, blonde, le corps pris dans un harnais de grand couturier, s'y tenait droite et immobile. Le mouvement de l'ascension étira sa silhouette qui se perdit dans les étages tandis que Michaud marquait un temps d'arrêt pour humer la trace d'un parfum distingué. Il eut une minute la nostalgie du luxe, de l'abondance, des plaisirs brillants et rêva qu'il menait une existence oubliée par la guerre dans le sillage de la belle jeune femme. Il se reprit d'ailleurs aussitôt, aima ses peines, ses soucis, ses incertitudes, et, avec tendresse, songea que la chaleur de son foyer familial devait peut-être beaucoup à l'inquiétude de l'argent. Après la montée des étages, il soufflait avec bonne humeur en sonnant au cinquième.

1. Un jour de décembre 1943, la belle jeune femme rencontra, dans un magasin des Champs-Elysées, un important fonctionnaire de la Gestapo française, qui lui offrit de coucher avec elle. Ayant essuyé un refus, il la fit arrêter et transporter dans un local où il la viola et la dépouilla de ses bijoux. Au bout d'une quinzaine, il la repassa à ses subordonnés et, au bout d'un mois, la fit mettre à mort. Le cadavre fut jeté à la Seine après avoir été coupé en plusieurs morceaux pour la commodité du transport.

— Oh! ami, je suis si contente, je pensais de vous il y a pas dix minutes.

Mme Lebon accueillait Michaud avec une jolie voix bien timbrée où chantait un accent d'entre Danube et Carpates. C'était une petite femme de trente ans, aux yeux noirs, aux cheveux noirs, un peu gras, qui pendaient raides et luisants et lui faisaient une tête de Montparno 1925. Dans la poche du manteau de fourrure trop grand qui l'enveloppait jusqu'aux chevilles, elle prit un porte-monnaie et en tira un mégot très court déposé à même un pli de la doublure.

— Pourquoi jeudi, vous êtes pas venu me voir, Pierre Michaud? Des amis ils sont venus. J'aime si vous les connaissez. Vous savez, j'ai une joie si belle que vous êtes là contre moi, Pierre.

Ces paroles n'étaient pas de simple politesse, Michaud le savait. Lina lui vouait un sentiment de confiante sympathie qui l'attendrissait plus que n'aurait su faire à lui seul le charme anachronique de cette figure montparnassienne. En tirant sur son mégot, elle lui demanda des nouvelles de sa femme qu'elle désignait, sans l'avoir jamais vue, par son prénom d'Hélène. Elle écorchait le français avec une aisance parfaite, usant de raccourcis syntaxiques et étayant son vocabulaire de mots d'argot dont la rudesse était émoussée par son accent étranger.

— Venez au salon, Pierre. Non, dites pas vous êtes pressé, je suis tellement furax si vous restez pas.

Malgré le désordre qu'y entretenait Lina, le salon avait une apparence assez luxueuse. Les tableaux accrochés aux murs valaient de l'or.

— Qu'est-ce que je fais, dites, avec l'appartement? Warschau, vous en pensez quoi? Mettre l'appartement à mon nom et des années passent et plus rien m'envoyer pour payer. Moi, l'argent où je trouve? Deux termes en retard.

— Je ferai l'impossible pour étirer les délais, mais je ne suis pas seul et d'ailleurs, Lolivier et moi, nous ne sommes que les gérants.

— Je sais, Pierre. Je vous vois aujourd'hui, c'est la quatrième fois et déjà si gentil.

— Pourquoi ne ne pas vendre une partie des meubles? Warschau a un mobilier de prix. Vendez-en un quart pour lui conserver les trois autres quarts et il aura fait une bonne opération. Vous êtes juive?

— Ma mère un peu, je dis pour vous, et mon père aussi, je crois un peu. Mais moi, je me fous. Je suis Mme Lebon.

— Je vous demandais ça pour me faire une idée de votre position en face de Warschau. Si vous êtes juive...

— Vous voulez dire, il me fera pas des ennuis. Je suis pas sûre. Vous autres, vous croyez les Juifs, ils sont toujours agneaux pour les Juifs. Du reste, dois-je dire, déjà j'ai vendu un peu. Des petites choses, des curiosités, vous savez, quarante mille francs.

— Continuez, vous êtes dans la bonne voie.

— Et si je paie pas?

Michaud eut un geste vague et resta sur la réserve. Il ne pouvait dire à Lina que M. Puget, le propriétaire, lui avait envoyé un émissaire pour lui ordonner de mettre à profit toute occasion de l'expulser de l'appartement. M. Puget paraissait craindre que sa qualité de Juive, si elle venait à se découvrir, ne fût pour lui une source de complications et trouvait en outre que cette femme pas très propre et d'allures plutôt singulières dévaluait son immeuble. Peu soucieux de se mettre Warschau à dos, il aurait voulu que la société de gérance prît sur elle de régler l'affaire et comme à son insu. Etant lui-même en zone Sud, il se ménageait ainsi une échappatoire commode.

— Et si je paie pas? insista Lina.

— Je vous conseille de payer. Si vous ne payez pas votre loyer, vous vous exposerez à des ennuis et je ne pourrai pas grand-chose pour vous.

Lina comprit qu'il faisait allusion à une menace connue de lui seul.

— Je vous donne argent tout à l'heure. Vous avez raison, Pierre, chien abandonné, il doit s'attendre à des coups.

Elle se prit à pleurer et cacha son visage dans ses petites mains sales. Comme il tentait de la réconforter, elle lui confia ses angoisses d'une voix entrecoupée et finit par lui conter ses tribulations. Parente éloignée de Warschau, celui-ci l'avait fait venir d'un ghetto de Pologne et casée dans un de ses magasins d'antiquités, faubourg Saint-Honoré. Ayant pris à charge de la débrouiller, il se montrait dur avec elle et la terrorisait pour son bien. Les jeunes cousins Warschau, très parisiens, très connaisseurs en tout, voyaient d'assez mauvais œil cette parente pauvre, restée pieuse et tout imprégnée du ghetto ancestral. Ils trouvaient qu'elle faisait tache dans la famille. Dans le milieu juif de Paris, Lina se sentait d'ailleurs plus dépaysée que parmi les Chrétiens. Passant outre à l'indignation de Warschau, elle avait épousé un peintre nommé Lebon qui fabriquait pour l'antiquaire du faux dix-huitième dans le genre Greuze et Boucher. Lina parlait avec tendresse de ce doux et honnête garçon — un peu cul, précisait-elle — adorant les longues pipes et les farces traditionnelles. Pendant plus d'un an, il l'avait promenée dans les brasseries de Montparnasse, puis s'était fait écraser par un camion un jour qu'il sortait de la *Coupole* (sa pauvre gueule arrachée toute, tuyau de pipe il avait dans l'œil, enfoncé, je vous montre photo, j'ai dans mon sac). Warschau l'avait reprise en main, la traitant avec la même dureté qu'autrefois. Il s'était donné pour tâche de la former aux bons usages commerciaux et de lui faire épouser un Juif, mais sur ce dernier point, il s'était heurté à la mauvaise tête de Lina qui n'aimait pas les Juifs parisiens. De lui-même il avait fini par renoncer à ce projet de mariage, jugeant qu'il valait mieux pour elle s'appeler madame Lebon que madame Lévy ou Jacobstein. Warschau prévoyait la guerre et la défaite de la France dont il méprisait la faiblesse. Il pariait toujours pour l'Allemagne et non pas seulement comme un observateur objectif, mais aussi, affirmait Lina, parce que son cœur choisissait pour l'effort, le labeur, la volonté de vaincre. Il croyait fermement que la justice humaine est dans les œuvres.

— Il, je déteste, si dur, qui jamais pitié et pourtant, j'aime et j'admire. Il pense si simple, il est si fort, toujours droit vers chose qui existe. Les conneries des Français l'amusent pas, je trouve pas assez. Il y a tout de même des jolies. Warschau, il dit c'est pour les femmes. Je crois, au fond, il était comme moi. Il regrettait Pologne et vrais Juifs de là-bas. Des fois, si je suis seule avec lui, il parlait yddisch et il avait l'air plus doux, plus heureux. Sa femme, ses enfants, parler yddisch, ils savaient pas, tellement parisiens. Oh! oui, Warschau regrettait la vie petite, pauvre, toute dans l'ombre et qui fait bon comme merveille chaude. Mais une fois quitté, on retourne pas, même un Warschau. Et si je pourrais, je voudrais pas, trop parisienne, pauvre tête déjà et j'ai trente-deux ans. L'enfant, il revient jamais dans le ventre qui l'a porté, mais lui, il a oublié. Moi, je souviens, je pense famille et aujourd'hui, je pense douleur. Si vous savez, Pierre, si vous savez...

Baissant la voix, Lina fit part à Michaud de certaines nouvelles qui lui parvenaient de Pologne. Juifs assassinés par milliers à la fois, pendus, torturés, brûlés vifs ou condamnés à mourir de faim, il s'agissait d'une entreprise d'extermination n'épargnant ni les femmes ni les enfants.

— Calmez-vous, Lina, vous vous torturez vous-même sans raison. Ces histoires d'extermination systématique sont absurdes. Pendant la guerre de 14, on a raconté pas mal du même genre. On disait que les Allemands coupaient les poignets des enfants et il a bien fallu convenir que c'était entièrement faux. Je n'ai pas besoin de vous dire quels sont mes sentiments à l'égard des nazis, mais je croirais manquer à l'honnêteté la plus élémentaire si j'accordais le moindre crédit à des informations de ce genre. Si les nazis étaient des bêtes féroces, des fous sadiques, ils le seraient aussi bien en France qu'en Pologne et il faut avouer...

— Il faut croire, ragea Lina en tapant du pied. Il faut croire. Mais vous, Français, vous comprenez pas. Vous êtes dans vos existences de poupées et toutes choses vous voyez petites. Quand vous avez haine, c'est dans la tête avec raisons pour expliquer. Mais chez nous, loin l'Est, aux pays durs, la haine elle est dans la chair, elle s'occupe pas des raisons, elle veut sang et mort et faire mal. Et les Allemands, ils veulent mort des Juifs et entendre crier, voir souffrir pour avoir plaisir dans la chair. Moi, je peux parler, qui femme suis, parce que haine, moi je connais bien.

Les traits tirés par une petite grimace, elle se dressa dans son manteau trop grand.

— A la fin, Dieu, il est pour nous et alors, vengeance, Pierre, vengeance. Mort et tortures pour Allemands et pour leurs femmes et leurs enfants. Avec mes mains, j'étranglerai, j'arracherai œil. Vengeance. Moi aussi, j'aurai le plaisir dans la chair. Vengeance.

Désespéré, plein d'effroi, Michaud levait les bras au ciel. Il expliqua que la haine perpétuait le mal et le multipliait, qu'il n'en était pas de bonne, ni de juste et qu'il fallait de toutes ses forces travailler à l'extirper de l'humanité. Amusée par ce langage qui lui semblait aussi sincère que peu sérieux, Lina finit par se calmer.

— Un enfant vous êtes, Pierre, si intelligent, mais enfant.

Elle chercha dans son porte-monnaie un mégot qui n'y était pas. Michaud lui offrit une cigarette qu'elle hésita à accepter.

— C'est cher et vous êtes pas bien riche. Ne dites pas, Pierre. Vous êtes pas jeune, pas riche et pas démerdare non plus. Ça, jamais vous apprendrez. Moi je pense à vous souvent. Je suis femme seule, j'ai toujours peur de gestapo. Warschau a fait arranger mes papiers d'origine, mais j'ai peur quand même. Il y a tout de même des gens qui savent, qui peuvent dire. Dans la rue, je pense à des rafles, j'ai accent étranger, peut-être le visage aussi. Vous trouvez j'ai le type juif? Ici, dans l'appartement trop grand, au milieu des choses qui coûtent cher, je me sens loin perdue et je suis pas brave. Quand le soir tombe, j'ai le cœur serré comme le poing, j'entends gestapo. Toujours gestapo. Et pendant des jours, il y a un trou noir dans les pensées. Mais si je vous vois, c'est fini. Vous rapportez le monde qui s'en allait. A côté de Warschau, vous êtes pauvre homme, pauvre cloche et pourtant, vous êtes fort aussi dans un autre genre. Oh! oui, un autre genre.

Michaud hésitait à se sentir flatté. Elle éteignit dans le cendrier sa cigarette à moitié consumée et, encore fumante, la rangea dans son porte-monnaie.

— Venez me voir, Pierre, j'ai tant besoin de vous. Ou si vous voulez, je vais chez vous. J'aime connaître Hélène et les enfants.

— Bien sûr, dit Michaud mollement, vous n'avez qu'à venir. Pour l'instant, Hélène sort de la clinique...

— Non, Pierre, je crois il vaut mieux je vienne pas. Vous avez peur de votre femme.

— Mais non, protesta-t-il en rougissant jusqu'aux yeux. Venez quand vous voudrez, Lina. Je serai toujours content de vous voir.

Mais l'exhortation manquait d'accent. Il alla visiter les travaux effectués dans la cuisine et la salle de bain et prit congé sans renouveler l'invite. Il rentra au bureau plus tard qu'il n'avait pensé. Lolivier parut lui en tenir rigueur et ne desserra pas les dents. Il était un peu jaloux du temps donné ailleurs. Vers la fin de l'après-midi, il leva la tête et, voyant Michaud le regard vaguant, il fit exprès d'être grossier.

— Alors, ta Youpine, tu te l'es envoyée?

— Je t'en prie, épargne-moi tes inepties.

— Bref, tu n'as pas pu. Sérieusement, vieux, je la trouve un peu toc, ta Mme Lebon. Une tête de l'autre guerre, pas de nichons, des grosses fesses et des jambes sans importance. Elle a de très beaux yeux, mais c'est à peu près tout. Enfin, mettons que tu lui trouves la beauté du diable.

— Je m'en fous complètement, déclara Michaud. Et d'ailleurs, si jamais je trompais ma femme, j'aurais des remords à n'en plus finir. Que veux-tu, je prends tout au sérieux, moi. Mais quel drôle de petit être, cette Mme Lebon. L'éducation, les habitudes, le respect humain, rien de tout ça ne doit la gêner dans ses appréciations sur les êtres ou sur les situations.

— Je vois ça d'ici, le genre cynique.

— Pas du tout et même au contraire. Elle n'est pas cynique pour un sou. Elle n'a pas d'ironie non plus. Ce qui m'étonne, chez elle, c'est ce don de sentir la vérité d'un être sans se laisser dérouter par son milieu social, sa fonction, sa famille, les circonstances de la rencontre, ni rien de l'édifice compliqué dans lequel nous situons les gens pour les juger. Tout à l'heure, incidemment, elle m'a parlé de toi et j'ai compris que pour t'avoir vu une fois pendant cinq minutes, elle te connaît mieux que moi je ne te connais. J'imagine que dans le préau d'une prison, le banquier, le passionnel, le faussaire, le monte-en-l'air, tous revêtus de l'uniforme à raies, doivent se sentir, aux regards les uns des autres, aussi dépouillés et réduits à l'essentiel que je me sentais moi-même en face de cette petite.

— Impression. Une femme, un homme.

— Non, pas du tout. J'en ai même été troublé. Pendant qu'elle me parlait, je me sentais un assez pauvre type qui vivait sur une idée des choses tandis qu'elle disposait de leur réalité. Je t'en reparlerai. Je ne suis pas encore à l'aise pour y voir bien clair. Du reste, il faut que je m'en aille. Antoine part en vacances samedi avec un de ses camarades de lycée et il faut que j'aille faire une course avec lui. Quel tintouin, ces gosses.

En se levant, Michaud s'aperçut que Lolivier était devenu pâle et le regardait avec des yeux un peu hagards.

— Qu'est-ce que tu as?

— Je suis inquiet. Avant-hier soir, mon fils a fichu le camp et aujourd'hui à midi, il n'était pas encore rentré.

— Mais qu'est-ce qui a pu arriver?

— Je ne sais pas. J'ai l'impression que sa mère est complice ou du moins qu'elle sait où il est. Avec elle, c'est toujours la même chose, on peut s'attendre à tout.

V

Lolivier ne s'étonna pas de trouver sa femme encore au lit. Adossée à son oreiller, Josy téléphonait d'une voix grasseyante, pincée par un effort de distinction, et grimaçait des sourires dans l'appareil. Il pensa que la conversation serait peut-être longue et se laissa tomber sur une chaise.

— Je t'assure, chérie, j'ai été déçue à un point inouï. Ketty [1] se défend encore à l'Européen, mais à Bobino, elle n'a plus l'abattage. Entre nous, elle ne l'a jamais eu et dégueulasse avec les camarades. Je peux t'en parler. En 1929, à l'Empire, c'est elle qui m'a empêchée d'avoir l'affiche. Georgius me le disait...

1. Ketty fut pendant près d'un an la maîtresse d'un officier allemand. A la libération, elle fut tondue et arrêtée. Passant devant une commission d'enquête et comme on lui demandait pourquoi elle avait été la maîtresse d'un Allemand : « Parce qu'il avait, répondit-il, une belle gueule et qu'il me faisait jouir. Vous, avec vos gueules de cons, vous ne me feriez pas jouir. » Je tiens cette réponse d'un témoin. Pendant toute l'occupation, la femme de Lolivier caressa le rêve de coucher avec un officier allemand et n'y parvint jamais. Depuis la libération, elle se dépense avec énergie pour faire interdire les camarades qui se sont compromis.

Le menton dans la main, Lolivier contemplait cette tête de rombière, malpropre et vulgaire, étalée sur l'oreiller au-dessous des photos accrochées au mur, qui évoquaient trente ans de sa vie de music-hall, trente ans de figuration, d'espérances rogneuses, de tentatives claquées, de vaines intrigues, de colères envieuses et de récriminations contre l'injustice du sort et des directeurs, pour ne rien dire des coucheries avec Pierre et Paul, le plus souvent intéressées et toujours inutiles. Les photos de nus empanachés attestaient qu'elle avait été assez jolie fille, bien faite et d'un visage agréable, mais n'ayant ni l'aisance gracieuse des attitudes, ni la perfection des formes ou la vivacité d'une expression qui retiennent l'attention d'un directeur de spectacles et d'un amateur de femmes. L'ancienne jolie fille qui, à la cinquantaine passée, ne renonçait pas à ses ambitions de carrière, était maintenant une créature décharnée et les sept péchés capitaux et d'autres auxquels l'Eglise n'a peut-être pas pensé étaient inscrits dans les plis et dans les poches de son visage. Malgré sa maigreur, elle était affligée de gibbosités graisseuses, particulièrement sous le menton et aux deux pointes du maxillaire. Pour le corps, pas de fesse, la jambe sèche et la cuisse aussi, mais un ventre pointu et de lourdes mamelles fluides, vagabondes. Josy ne ressemblait plus à ses portraits de jeunesse que par une certaine vulgarité devenue agressive avec l'âge et les déceptions. Assis sur sa chaise, Lolivier constatait ces changements et ces persistances avec une placide amertume, comme un bagnard habitué à sa condition et tout près de s'y résigner.

— Je prépare un numéro étonnant, un numéro de mime qui fera sensation. J'en ai déjà parlé à Couture. Il a été emballé. Il m'a dit, mon petit, une idée comme ça, ça vaut de l'or, je t'engage tout de suite. Je lui ai répondu, mon petit Bob, c'est chic de ta part, mais moi, j'ai ma conscience d'artiste et je ne travaille pas à l'esbroufe. On en recausera quand mon numéro sera au poil... Une minute, ne quitte pas.

Josy, le menton interrogateur, se tourna vers son mari.

— Tony n'est toujours pas rentré? demanda-t-il.

— Mais si, répondit-elle d'une voix hargneuse. Il est rentré dans la matinée. Tu ne vas pas encore l'engueuler? J'estime qu'à dix-neuf ans, un garçon...

Lolivier ne releva pas le propos et quitta la chambre à coucher.

— Excuse-moi, chérie, c'était mon mari. Encore des histoires. Avec lui, on n'en sort pas. Si tu savais, ma pauvre Pépé, ce que ça représente, pour une artiste, de vivre avec un homme qui ne comprend rien. Il y a des fois...

Après avoir exploré plusieurs pièces, Lolivier trouva son fils dans la cuisine. Assis sur le coin de la table, un pied par terre et l'autre ballant, il mangeait un sandwich et leva sur son père un regard sournois, peureux, qu'il ne tarda pas à détourner. Lolivier, qui s'était adossé à la porte, resta un instant immobile à se composer un visage et à se défendre contre une montée de tendresse et contre la joie de retrouver ce fils méprisé qu'il avait eu peur de perdre. Il s'en rassasiait la vue. Tony avait la forte carrure de son père, mais une petite tête, un front bas, un menton fuyant, et des yeux profondément enfoncés dont le regard vacillait lorsqu'il se posait sur celui d'une autre personne. Rien en lui ne rappelait sa mère. Il n'avait aucune de ses vulgarités, ni dans l'expression des traits, ni dans la voix. Son visage inquiétant semblait un masque moulé sur une conscience lourde et difforme, mais restait étrangement secret, sans autre reflet d'une vie intérieure que les lueurs sourdes qui dansaient parfois au fond des yeux sombres. Aveuglé par la tendresse, le père ne s'était jamais avisé de la moindre anomalie dans ce faciès de dégénéré et avait longtemps caressé l'espoir que la conduite et le caractère de son fils finiraient par s'accorder à une figure aussi charmante.

— Où as-tu passé ces trois jours? demanda-t-il calmement.

— J'étais chez un ami qui habite Vincennes. J'ai essayé plusieurs fois de téléphoner à ton bureau, mais le numéro n'était jamais libre.

— Tu mens. Quand tu es parti, lundi soir à dix heures, tu m'as pris cinq cents francs dans mon portefeuille. Tu n'en avais pas besoin pour aller chez un ami.

Tony baissa la tête en manière d'aveu et pour se dispenser d'une réponse. Le père n'insista pas, il se recueillit une minute avant d'entamer la mercuriale et souleva le couvercle de la casserole que la femme de ménage, avant son départ, avait mise au feu sur le gaz pour le repas de midi. Une riche odeur de chou et de charogne associés monta dans la vapeur du mélange et il découvrit une saucisse blanchâtre tressautant sur un lit de légumes.

— Tu auras bientôt dix-neuf ans, tu ne fais rien et tu ne veux rien faire. Ne parlons pas d'études. Il y a longtemps que tu as découragé les maîtres les plus bienveillants. Tu n'as même pas une bonne orthographe. Mais ce n'est pas le pire. Depuis trois ans que tu vis sans rien faire, tu passes ton temps à courir les filles et les cafés. Et quelles filles, quels cafés. Le résultat, c'est qu'à dix-sept ans, tu avais déjà la vérole. Ta mère a eu la faiblesse de te donner de l'argent pour tes sorties, mais le peu dont elle pouvait disposer pour toi ne t'a pas suffi. Tu t'es mis à voler tes parents, et quand tu ne trouvais pas d'argent à voler, tu bazardais le linge, les couverts, tout ce qui était monnayable dans la maison. Je me contentais de te flanquer des raclées. J'espérais toujours que tes erreurs étaient passagères et que ton goût pour la musique te sauverait.

Tony leva les yeux et son regard s'adoucit, se nuança d'un fugitif sentiment de regret. Il avait un goût délicat de la musique, un discernement sûr et jouait du piano avec une sensibilité et un style où ses professeurs s'accordaient à reconnaître de grandes promesses. Ses études musicales, les seules qu'il eût menées sérieusement, s'étaient relâchées peu à peu. Depuis un an, il jouait sans professeur et ne faisait plus que s'entretenir. Lolivier crut s'apercevoir qu'il avait touché une corde sensible. Afin de laisser germer l'émotion, il observa un temps de silence et fit quelques pas dans la cuisine. Le nez au carreau de la fenêtre, il regarda le mouvement des passants dans la rue Ramey et s'imagina lui-même, courtaud, pressé, cheminant sur l'un des sillons quotidiens de son existence et soufflant une buée de soucis dans l'humide midi d'avril. La vision de cette lourde silhouette tassée sous le poids de ses peines et si seule parmi les autres piétons le fit soupirer. Il se tourna vers son fils et lui dit avec douceur :

— Mon pauvre enfant, tu l'apprendras un jour, mais je voudrais que tu le saches déjà. Dans la vie...

Tony n'avait pas bougé. Le père eut un mouvement de surprise et d'appréhension en apercevant une cage à serin posée sur la table. Tony l'avait cachée derrière son dos lorsque le père était entré dans la cuisine, et n'y pensait plus maintenant. Tapie à l'intérieur de la cage, une souris blanche poussait son museau pointu entre les barreaux et promenait à travers la pièce le regard de ses doux yeux roses. La vue de l'animal éveilla instantanément deux souvenirs dans l'esprit de Lolivier. L'un, le plus récent, avait trait à un objet insignifiant : tout à l'heure, en soulevant le couvercle de la casserole, son regard avait enregistré la présence d'un morceau de bois poli posé sur le réchaud à côté de la casserole et dont la forme rappelait celle d'un manche d'outil. L'autre se rapportait à une volaille qu'un paysan avait livrée à la maison au début de l'automne dernier. S'étant offert à la saigner, Tony avait pris soin de la plumer vive et de lui brûler les yeux au fer rouge. Lolivier allongea le bras vers le réchaud et saisit le manche de l'alène dont l'acier était engagé sous la casserole. La pointe de l'outil avait rougi à la flamme du gaz. Tony regardait par-dessus l'épaule avec des yeux luisants, et un rictus lui découvrait les dents. Blême, Lolivier considérait le monstre avec plus de colère encore que d'horreur, car l'idée ne l'avait jamais effleuré que son fils pût être dégénéré et sa responsabilité restait entière à ses yeux. Jetant l'outil sur le carrelage, il empoigna Tony par le col et par les cheveux, le poussa au mur et l'y maintint une minute.

— Sale bête! Je te l'avais défendu! Tu m'avais promis de ne pas recommencer, brute! Cette bête ne t'avait rien fait.

Il lui cognait la tête contre le mur. Tony se prit à pousser des hurlements d'une violence calculée. Comme il l'avait prévu, son père le lâcha et il en profita pour prendre la fuite. Lolivier entendit son pas sonner dans le vestibule, puis la porte d'entrée s'ouvrir et se fermer avec fracas, tandis que la mère criait de la chambre à coucher. Tremblant, il s'assit sur une chaise et prit la cage sur ses genoux. D'abord effrayée, la souris blanche se tourna vers lui et, à demi dressée contre les barreaux, le regarda aux yeux avec une confiance qui le bouleversa. Devant la douceur et l'innocence du petit animal, la cruauté de son fils lui apparaissait plus incompréhensible et comme enveloppée d'un mystère sinistre. Pour la première fois lui venait la pensée que Tony pût n'être pas tout à fait responsable de ses actes, mais au lieu d'incriminer une tare physiologique, il songeait confusément à une puissance maléfique brisant sa volonté. Indifférent à la religion et aux majuscules métaphysiques, il croyait soudain percevoir l'existence d'un principe du mal, sous forme d'une espèce de cancer intelligent, ayant ses intentions, ses moyens, et poussant sa pourriture dans les individus comme dans les idées et les institutions avec une astuce méthodique. Las d'y penser, il saisit la cage et, avec précaution, l'éleva à hauteur de son visage. Intimidée, la souris blanche recula vers le milieu de sa prison, mais sans cesser de le regarder avec un air de reposante douceur. Les pattes et la queue de l'animal lui inspiraient encore une répulsion qui cédait très vite à un sentiment de tendresse protectrice. Il passa le bout du petit doigt entre les barreaux et, effectuant le chemin en plusieurs étapes, la souris blanche vint le heurter de son museau. Comme il souriait d'amitié, sa femme entra dans la cuisine, en peignoir et en bigoudis, avec une impétuosité qui laissait présager une démonstration animée. Lolivier se promit d'être calme.

— Qu'est-ce que tu lui as encore fait, à ce petit, qu'il s'est sauvé en claquant la porte? demanda-t-elle d'un ton menaçant.

— Je lui ai cogné deux ou trois fois la tête contre le mur. Quand je suis entré, il s'apprêtait à brûler les yeux de cette petite bête.

— Tu ne vas tout de même pas me dire que tu l'as brutalisé pour une histoire de souris?

— Mais si, mais si, répondit Lolivier avec une pointe d'ironie sans gaieté. Pour une histoire de souris.

Josy sentit l'intention. Elle ne pouvait supporter l'ironie d'un homme qu'elle avait toujours considéré comme étant, de loin, son inférieur.

— Il y a longtemps que j'ai compris le truc, répliqua-t-elle. Tes histoires de souris, c'est toujours pareil. La vérité, c'est que Tony et moi, tu nous en veux d'être des artistes. Tu te venges comme tu peux de n'être qu'un gros rond de cuir, un margoulin de la petite combine, avec pas plus d'esprit que la semelle de mes tatanes.

— A la rigueur, je pourrais être jaloux de Tony et lui envier ses dons de musicien, mais je n'ai qu'une crainte, c'est qu'il les laisse se perdre bêtement. Quant à toi, je me demande de quoi je pourrais être jaloux. Si tu méritais qu'on ait pour toi l'ombre d'un sentiment, tu pourrais me faire pitié, mais je n'en suis plus là.

— Insiste pas, tu me donnerais le fou rire. C'est pas avec ta mentalité de gros cave que tu peux comprendre ma nature d'artiste.

— Sur ta nature d'artiste, mon opinion est faite depuis longtemps. C'est d'ailleurs exactement celle des directeurs de music-halls.

Lolivier avait touché juste. Le visage de sa femme

s'enflamma, les poches et les retombées de peau molle se tendirent, comme gonflées de venin. Elle fit un pas en avant et lui parla dans le nez, d'une voix de mégère enrouée, mais avec des effets, des intonations soutenues qui sentaient encore le métier.

— Tes opinions, tu peux te les mettre dans le dos. Les opinions d'un employé de commerce, j'ai pas besoin de les connaître, parce que moi, j'ai trente ans de carrière, tu comprends, et mes amis s'appellent Maurice Chevalier, Joséphine Baker, Georgius, Damia, et les tiens, tous des calicots, des épiciers sans idéal. Tes opinions, garde-les pour eux. Mes amis et moi, on a nos idées à nous. On cause entre nous et l'opinion des calicots, on n'y fait même pas attention. Et j'ai encore une chose à dire...

Sur ce sujet familier où sa vanité trouvait son compte, Josy était intarissable et ses propres paroles entretenaient sa colère. Lolivier ne l'écoutait plus que distraitement. Considérant le visage de l'épouse, il se demandait s'il était bien raisonnable d'expliquer l'abjection morale par la volonté d'une puissance démoniaque. Ici, la laideur des sentiments était si parfaitement accordée à l'extérieur de la personne qu'elle semblait en être la conséquence naturelle.

— Tu deviens si laide, dit-il, que ta figure me répugne. On y voit grouiller les vices comme la vermine sur le fumier.

La stupeur de Josy fut telle qu'il lui fallut plusieurs secondes avant de trouver une injure. Lui-même était étonné de sa sortie. Jusqu'alors, un certain respect de la créature humaine, même s'agissant de sa femme, l'arrêtait en face des vérités trop brutales. Celle-ci lui était venue sans qu'il en éprouvât la moindre gêne. Après coup, il avait même l'impression de respirer plus librement. D'un geste paisible, il écarta sa femme et rendit toute son attention à la souris blanche qui lui parut en témoigner de la satisfaction. Josy le traita de grosse vache et, saisissant la cage à deux mains, essaya de la lui arracher.

— Cette cage-là ne t'appartient pas, disait-elle, elle est à Tony.

— Lâche ça, enjoignit Lolivier.

Elle n'entendit pas l'avertissement contenu dans le ton des paroles. Comme elle redoublait d'efforts pour s'emparer de la cage, un coup de poing à la mâchoire la fit lâcher prise et reculer vers l'évier. Il posa la cage sur la table et, revenant à sa femme, l'envoya au carrelage d'un autre coup de poing. Josy, étendue sur le dos, saignait du nez et poussait des cris aigus. Son peignoir s'était ouvert et sa chemise de nuit rose moulait son corps desséché aux gibbosités mouvantes. Une grimace de rage et de souffrance contractait son visage barbouillé de sang qui lui coulait par le nez. Il lui martela les flancs et les membres de durs coups de pied jusqu'à ce que ses cris se fussent apaisés en humbles gémissements. Alors, il revint à la souris blanche, siffla doucement sur deux notes et tapota des doigts sur les barreaux. Il lui sembla que l'animal accueillait ses avances avec un empressement nouveau et un regard de gratitude. Bien qu'il s'y habituât, les pattes et la queue le troublaient encore et l'idée d'un contact lui faisait courir un frisson sur la peau. Malgré ce reste d'appréhension, il s'enhardit à ouvrir la porte de la cage et à glisser sa main à l'intérieur. La souris blanche eut un mouvement de retrait, mais ne parut pas effrayée. Le cœur battant, Lolivier avançait la main avec de lentes précautions. Surmontant son émoi, il finit par toucher la tête et le dos de la bête qui se laissa caresser du bout du doigt. Les gémissements de Josy s'étaient tus. Il tourna la tête et la vit ramper vers l'outil pointu qui avait failli être l'instrument du supplice. Refermant la cage, il l'écarta d'un coup de pied dans les côtes qui lui arracha encore un cri, et rangea l'alène dans le tiroir de la table.

— Etienne, dit-elle d'une voix entrecoupée, je vais mourir. Je te pardonne.

Pour toute réponse, Lolivier la saisit par un bras, la remit sur pied et la poussa devant lui jusqu'à la chambre à coucher. Avant de se mettre au lit, elle eut un accès d'attendrissement et lui jeta ses bras autour du cou.

— Etienne, mon chéri, j'ai de la peine. Depuis vingt ans qu'on est marié, tu n'avais jamais levé la main sur ta petite femme.

Il se dégagea un peu rudement et l'aida à se mettre au lit. Inquiète de son silence, elle l'appela plusieurs fois mon loulou et mon gros lapin, d'une voix de miel, toute tremblante de fureur et de haine meurtrière, mais sans parvenir à lui tirer une parole.

Bien qu'il eût déjeuné rapidement, Lolivier arriva en retard à son bureau, car il avait joué longuement avec la souris. Michaud était déjà installé à sa table de travail. Dans l'autre pièce, Solange tapait à la machine en surveillant sournoisement la direction que prenait le regard d'Eusèbe. Depuis quelques jours, l'adolescent s'intéressait timidement aux jambes de la secrétaire et les contemplait à la dérobée. La crainte d'être surpris faisait parfois monter un peu de sang à ses joues creuses et livides. Passionnée à l'éveil de ces troubles curiosités, Solange ne négligeait rien pour y aider et calculait les angles de plongée les plus favorables au regard d'Eusèbe, se réservant de laisser éclater son indignation lorsque la convoitise du garçon deviendrait flagrante. Il lui arrivait plusieurs fois par jour de laisser tomber son crayon à ses pieds, mais Eusèbe n'avait pas encore assez d'esprit pour venir le lui ramasser.

Solange fut frappée d'un changement dans la physionomie de Lolivier. C'était autre chose que le reflet d'une préoccupation passagère, mais elle ne put préciser autrement son impression. Elle était également curieuse de savoir ce que contenait le paquet volumineux qu'il portait précautionneusement, mais il n'en dit rien.

— Monsieur Lolivier, je viens d'avoir la visite de votre fils.

— Qu'est-ce qu'il voulait?

— Mais c'est vous qui l'avez envoyé prendre un papier que vous aviez oublié sur la table de votre bureau.

— Bon, mais pour le cas où il se représenterait en mon absence, ne le laissez entrer sous aucun prétexte.

Laissant Solange insatisfaite, Lolivier passa dans la pièce voisine. Michaud venait de recevoir un coup de téléphone d'un locataire se plaignant que son voisin de l'étage supérieur dansât presque toutes les nuits jusqu'à cinq heures du matin en nombreuse et bruyante compagnie. Le plaignant s'était en outre indigné d'une conduite aussi peu décente qui insultait au malheur de la France et il avait longuement flétri cette absence de fierté avec une aigre voix de faux-jeton qui laissait à Michaud une impression fâcheuse. Lolivier, après avoir déposé son paquet sur une chaise, prit un trousseau de clés dans un tiroir de son bureau et en ouvrit un autre fermé à double tour.

— C'est bien ce que je pensais, dit-il après examen. Tony est venu au bureau en mon absence et a cambriolé la caisse. Heureusement, il n'y avait que douze cents francs.

— Tu es sûr? demanda Michaud pour combler un temps de suspension.

— Je ne sais pas si tu es jamais entré dans un chenil. Pour ma part, je ne connais rien de plus agréable, de plus reposant. Non seulement on a plaisir à voir les jeunes chiens jouer et trébucher dans leurs cages, à caresser une patte ou un museau, mais on a plaisir à se trouver avec les gens qui les regardent. Ils ont des visages détendus, des yeux pleins d'amour, de lumière, des sourires sans arrière-pensée. On est un moment à douter qu'il y ait jamais eu par le monde des salauds et des égoïstes. On se sent soi-même très bon et très doux. Il y a sept ou huit ans, l'année de sa première communion, je me promenais dans un chenil du quartier de l'Opéra. Le gosse s'arrête avec moi devant une portée de caniches, qui pouvaient avoir un mois ou deux. Ils jouaient dans leur cage avec un entrain qui attirait tous les visiteurs. Je riais de les voir rouler les uns sur les autres, se mordiller en piaillant ou laisser leurs jeux pour venir à nous. En même temps, je guettais Tony pour le plaisir de voir éclater sa joie. Mais lui ne riait pas. Il restait sombre. Comme je me penchais sur l'intérieur de la cage pour caresser les chiens, il se décide à en faire autant et il se met à rire et à s'amuser jusqu'à ce que je l'empoigne par le bras et l'entraîne vers la porte. Je venais de m'apercevoir qu'il piquait les pauvres bêtes avec une épingle.

Lolivier parlait avec beaucoup de calme, voire de détachement, comme s'il se fût agi du fils d'un autre et non pas du sien.

— L'année dernière, poursuivit-il, je l'ai surpris au moment où il venait de brûler les yeux à un poulet qu'il avait plumé vif. Et enfin, tout à l'heure, quand je suis arrivé à la maison, il se préparait à brûler les yeux d'une souris blanche. Dis-moi, tu connais Tony, tu l'as vu souvent, tu lui as parlé. Après ce que je viens de te raconter, qu'est-ce que tu en penses?

— Mon vieux, qu'est-ce que tu veux que je te dise? Je ne me rends pas très bien compte.

Michaud pensait à ses trois enfants aimables, sains de corps et d'esprit, et éprouvait la gêne qu'on peut supposer être celle d'un homme riche, comblé, auquel un claque-dent demanderait ce qu'il faut penser de cette putain d'existence.

— Tu as peur de me faire de la peine, dit Lolivier.

— Mais non, je t'assure, tu te trompes. Du reste, ce que tu me racontes de Tony n'a rien d'effrayant. Il existe chez tous les individus de ces instincts dangereux qu'il leur est généralement donné de contrôler, mais que des hasards physiologiques peuvent développer à leur insu jusqu'à l'exaspération...

— Bref, tu penses qu'il n'est pas responsable?

Michaud ne demandait pas mieux que d'examiner le problème de la responsabilité. Il compara l'homme à une marmite, à un enfant de chœur, à un fer à repasser, à une lampe pigeon, à un moteur d'auto, et l'équilibre moral à celui d'un cycliste. Ce fut le cycliste qui lui donna le plus de satisfaction. Quand la bicyclette est en bon état, disait-il, le cycliste est impardonnable de renverser les vieillards et d'écraser les poulets. Mais quand le guidon ne commande plus, quand les pneus sont à plat, quand les freins sont cassés... D'autre part, le cycliste ou, s'il est trop jeune, ses parents, ont des devoirs envers la bicyclette.

— Il arrive aussi que le cycliste soit vicieux et qu'il ait plaisir à écraser les vieillards, fit observer Lolivier. C'est même ce qui arrive le plus souvent et c'est ce qui explique les guerres, les bombardements, le marché noir, les pelotons d'exécution, le crime, la misère, les riches, les huissiers, les femmes impossibles, les yeux brûlés et le travail triste. Les bicyclettes sont bonnes, mais les cyclistes sont vicieux, ils ne rêvent qu'à écraser le prochain, à le foutre au fossé. Les gens comme nous, ceux qui ne veulent ni écraser ni être écrasés n'ont qu'à éviter les cyclistes, éviter les routes fréquentées et prendre les sentiers.

Lolivier se leva et alla jusqu'à la chaise où il avait posé son paquet. Avec piété, il développa du papier la cage de la souris blanche.

— Tu n'as pas compris grand-chose à ma comparaison, dit Michaud. En tout cas tu devrais bien faire examiner Tony par un spécialiste.

— Un spécialiste de quoi?

Michaud n'osa pas parler d'un psychiatre. Lolivier n'attendait du reste pas sa réponse. Accroupi auprès de la chaise, il émiettait un morceau de pain pour la souris blanche. Elle mangeait avec voracité, trottant de miette à miette sans lever la tête, croquant la pâture d'un museau précieux, avec une élégance et des grâces de mijaurée qu'il ne se lassait pas d'admirer. Le repas terminé, il sentit qu'il venait de faire un pas dans son amitié et s'attarda à jouer avec elle.

— Allô, monsieur Legrand? Ici, M. Michaud, le gérant de l'immeuble. Monsieur Legrand, je viens de recevoir un coup de téléphone d'un de vos voisins qui se plaint que vous fassiez du bruit la nuit jusqu'à cinq heures du matin.

— C'est parfaitement exact, répondit Legrand d'une voix bien timbrée, jeune et qui plut beaucoup à Michaud. Cette nuit encore, nous l'avons passée à chanter et à danser.

— C'est précisément ce que vous reproche votre voisin. Il en est troublé à la fois dans son sommeil et dans sa dignité de Français. Je n'ai d'ailleurs pas à apprécier ce dernier point de vue. Mon rôle de gérant est tout autre. Il consiste à assurer à nos locataires la jouissance paisible de leurs domiciles. Ne vous étonnez donc pas si je vous demande de mettre désormais une ourdine à votre gaieté.

— Mais vous me demandez une chose impossible! Je viens d'épouser une femme merveilleuse et j'en suis amoureux fou. Et Clémentine adore la gaieté, le bruit, la danse, la musique, le champagne, les tourbillons. Moi-même, ah! monsieur, moi-même, je ne me contrôle plus, je confonds la nuit avec le jour, je crois en Dieu, je crois en Clémentine, je crois en tout, je danse le swing, je crie, je chante, je ris, je rends grâces, j'aime.

— Je vous félicite, mais les locataires...

— Ah! les locataires, ils sont indignés, n'est-ce pas? Ils en ont bien le droit. Pauvres gens, je voudrais pouvoir me raisonner, me dire que la France, les prisonniers... mais je ne peux pas. Je ne suis qu'à Clémentine et à la joie. J'ai beau m'efforcer d'y penser, la France, l'Europe, la guerre et toute la misère du monde me semblent d'aussi peu de poids et d'importance qu'un grain de sel dans l'Atlantique. L'amour emporte tout, il a toute la place. J'aime Clémentine! j'aime Clémentine! Pardonnez-moi de crier ma joie, mon amour, mais si vous la connaissiez... Venez donc à la maison ce soir. On dansera.

— Vous êtes très aimable, mais j'aurais peur de n'être pas au diapason. Dansez sans moi, et surtout, dansez sans réveiller les voisins.

— J'essaierai... Ta bouche à manger, miam miam, tes yeux, tes seins, tes clairières... Excusez-moi, je parlais à Clémentine. Oui, je vous promets... Ciel bleu, pigeon double...

Michaud, un peu ébloui, raccrocha l'appareil. Il resta un moment les coudes sur la table et le menton dans les paumes, rêvant à des orages de roses, qui éclataient dans les rues, dans les bureaux, sur la ville et sur la campagne, dans des Frances et dans des Europes. Lolivier avait repris sa place en face de lui et s'appliquait à son travail. Michaud regardait le large crâne rose de son compagnon, duveté de pattes d'araignée et y suivait le fil de ses propres pensées.

— Ta femme va bien? demanda Lolivier qui sentait ce regard sur sa calvitie.

— Je viens d'avoir une conversation avec un drôle de locataire.

Michaud raconta, en exagérant le délire de Legrand pour mieux faire pénétrer le récit sous l'écorce de son associé, qu'il jugeait être un peu dure.

— ... Il riait aux anges, il buvait le ciel au mètre cube, il projetait les cuisses de Clémentine jusque sur mon buvard. J'aime la joie, même celle des autres, et je ne suis pas du tout scandalisé par les transports de Legrand [1], mais je me demande si on peut vivre au milieu de la souffrance et des catastrophes sans en prendre sa part, si même c'est une chose bien propre de chanter sa joie par-dessus les pleurs et les grincements de dents.

— Tu deviens bête et hypocrite. Comme si tu n'essayais pas, comme tout le monde, d'oublier les tristesses de l'époque. Tu cherches ton air de swing, mais tu n'as pas l'étoffe d'un Legrand et, ce qui n'arrange rien, tu tiens à l'estime de ton voisin de palier. Le résultat est misérable. Alors, tu rages, tu es triste et en définitive tu es fier de pouvoir mettre ta tristesse sur le compte des événements.

— Tu dis des âneries parce que tu n'imagines pas que les autres puissent ressentir ce que tu ne ressens pas. Mais moi, je souffre de la défaite. Je souffre des souffrances de mon pays et de celles que l'avenir lui réserve. Je souffre pour tout ce qui est humilié, l'amour, la liberté, l'esprit.

— Tu mens, cochon. Tu as de petits ennuis : le black-out, pas de taxis, le charbon, la vie compliquée. Oui, tu es triste, tu as des coups de cafard affreux, mais avant la guerre, tu étais déjà comme ça. Les officiers allemands, tu ne peux pas les sentir, mais tu ne pouvais pas sentir non plus les officiers français. Je t'ai connu à l'époque où le nom de Poincaré t'était aussi odieux qu'aujourd'hui

1. Le bonheur de Legrand dura jusqu'à la fin de l'occupation. En août 44, après le départ des Allemands, son voisin grincheux le dénonça comme ayant fait la noce avec des collaborateurs et précisa que les invités chantaient *Lily Marlène*. Legrand fut interné à Drancy où il demeura huit mois. Clémentine s'était lassée de l'attendre et avait suivi à Marseille un jeune colonel des F. F. I.

celui d'Hitler. Je ne t'ai pas encore entendu parler de l'oppresseur avec la colère et la rancœur qui t'étranglaient quand tu parlais des calotins ou des communistes. Tu souffres pour les prisonniers, mais depuis plus de quatre mois que ton vieil ami Rougemain t'a écrit de son oflag de Saxe, tu n'as pas encore trouvé le temps de lui répondre. Tu souffres pour l'esprit et la liberté, oubliant le temps où tu déplorais l'état de servitude et de basse connerie dans lequel les puissances d'argent tenaient les Français. En proposant des cibles nouvelles à tes quintes d'humeur ou de mélancolie, la défaite de l'envahisseur t'offrent des menues distractions dont tu as besoin pour ton équilibre.

— Tout ce que tu viens de dire est vrai, convint Michaud. En face de tant de faillites, de désastres, de misères, je n'ai que des réactions dérisoires, je ne sais que retomber dans les plis de ma petite sensibilité. Quand je dis que je souffre pour les prisonniers, c'est un mensonge. J'y pense cinq minutes par jour, tout au plus, et je me laisse effleurer par un sentiment de mélancolie qui m'est d'ailleurs assez agréable, parce qu'il m'aide à croire à ma dignité. Et la plupart des gens sont comme moi. Leur raison les renseigne à peu près sur l'ampleur de la catastrophe, mais leur cœur ne la contient pas. Sans compter que la vie est là, qui nous pousse. Et la vie n'a de racines qu'en celui qui la vit, même quand les frondaisons sont généreuses, Tu as donc dit la vérité. Mes souffrances ne sont qu'une fiction et se résument à quelques accès d'humeur, à quelques instants voilés de mélancolie, que des événements beaucoup moins tragiques susciteraient aussi sûrement. Cette fiction-là suffit pourtant à témoigner d'un choix sérieux, profond, et peut suffire à m'engager définitivement. Il y a des gens qui ne souffrent pas plus que moi des malheurs du pays et toutefois suffisamment pour qu'ils se sentent obligés de risquer leur vie.

— Les hommes sont capables de mourir pour des vétilles. Ils peuvent donc aussi bien risquer leur vie pour ce que leur intelligence et leur sensibilité retiennent d'insignifiant dans une cause qui les dépasse. C'est ce qui arrive la plupart du temps et le risque couru n'ajoute rien en qualité au mensonge qu'ils se font à eux-mêmes.

Michaud voulut protester, mais Lolivier, déclarant qu'il avait assez ergoté sur des foutaises dont il se foutait, alla émietter du pain à la souris blanche.

VI

Antoine feignait l'affairement pour éviter de se trouver disponible sous le regard de ses parents. Il avait le sentiment de commettre une mauvaise action et n'était pas sûr de sa joie. Au moment de partir, l'idée de passer dix jours chez Yvette lui paraissait un peu absurde. Sans aller jusqu'à souhaiter un empêchement de la dernière heure, il aurait été soulagé de devoir renoncer à son projet. Parfois aussi, en songeant à cette intimité de chaque instant, qu'il allait partager avec une femme, un élan de tendresse lui faisait oublier son malaise. Sa jeune sœur Pierrette s'ingéniait à lui être utile et y réussissait trop bien. A peine se mettait-il à la recherche d'un livre ou d'une épingle de sûreté, qu'elle les lui apportait, si bien qu'il se trouva prêt plus d'une demi-heure avant le départ et, n'ayant plus le moindre prétexte à courir d'une pièce à l'autre, dut s'asseoir dans la chambre de ses parents.

Michaud était installé dans un fauteuil au chevet de sa femme, rentrée le matin de la clinique. L'opération avait réussi, mais il lui fallait garder le lit encore une semaine. Antoine se reprochait d'ailleurs vivement d'abandonner sa mère au moment où elle pouvait avoir besoin de sa présence qui, même en temps normal, lui était toujours une aide et un plaisir. Sous les regards de la famille réunie, il s'efforçait de paraître calme, mais ses gestes étaient fébriles, ses paroles sonnaient un peu faux et ses yeux brillaient d'un éclat inhabituel. Hélène n'était pas sans remarquer la nervosité de son fils, qu'elle rapportait à l'excitation du départ. Pourtant, elle percevait dans son attitude un embarras que l'impatience ou l'émotion ne suffisaient pas à expliquer. L'idée lui vint que quelque cousine de Tiercelin pouvait bien être du voyage en Bourgogne, ce qui ne l'alarma du reste pas autrement.

— Tu aurais dû faire une visite au père de Tiercelin, dit-elle à Michaud. C'était la moindre des choses.

— J'y passerai un soir de cette semaine. J'ai même pensé que nous pourrions l'inviter un jour à dîner.

— Je crois qu'il ne sort pas beaucoup, dit Antoine. Il lui est difficile d'abandonner son restaurant.

Etant donné le personnage, l'idée que M. Tiercelin pourrait dîner avec ses parents l'inquiétait sérieusement et lui paraissait choquante.

— Il suffirait peut-être d'inviter Paul après les vacances, émit Pierrette qui sentait la gêne de son frère.

Antoine eut pour elle un regard de tendre gratitude. Pierrette ne soupçonnait rien de la vérité, mais inclinait à croire que l'amour était du voyage. Vu les séductions d'Antoine, il lui semblait même bien improbable qu'il en fût autrement. A l'école, plusieurs de ses amies étaient amoureuses de lui, et l'une d'elles, Clémence Robichon [1],

1. En 1943, Clémence Robichon, âgée de quatorze ans, devint amoureuse d'un soldat allemand âgé de quarante-deux ans, qui logeait non loin de chez elle, dans un hôtel de la rue Caulain-

avait écrit un sonnet hérédien dans lequel Antoine Michaud devenait Marc Antoine et rencontrait une Cléopâtre, aisément reconnaissable, au Dupont de la place Clichy. Frédéric, pour avoir surpris la veille des bribes de conversations entre son frère et Tiercelin, flairait une aventure un peu plus corsée, mais restait au-dessous de la vérité. Michaud, lui, ne soupçonnait rien. Le trouble d'Antoine lui échappait complètement. Comme toujours, il avait du mal à fixer son attention sur le plan des préoccupations domestiques. Sa pensée les dépassait ou les plaçait dans une perspective trop vaste où elles se perdaient. Il se mit à parler des vacances en général, puis considéra le rôle des vacances d'été dans le déclenchement des guerres. Il se demandait si le fléchissement brusque d'un effort soutenu par de vastes communautés pendant une année entière et la rupture d'habitudes vitales n'étaient pas générateurs de psychoses collectives. Ce genre de divagation agaçait Hélène Michaud. Elle avait toujours l'impression que son mari faisait vaguer son regard au-delà de la famille sans s'apercevoir de sa présence.

— En tout cas, dit-elle, je ne vois pas ce qu'on pourrait inventer pour remplacer les vacances.

— Bien sûr. Je me demande même si on accorde suffisamment de vacances aux enfants. J'en parlais l'autre

court, réquisitionné par les occupants. Il était mal bâti et avait une figure d'idiot. Clémence en était si éprise qu'elle l'arrêta un soir dans la rue sous prétexte de lui demander l'heure, mais il devait toujours ignorer la passion qu'il avait inspirée. Lorsqu'il quitta Paris, elle songea au suicide, puis s'éprit successivement d'un curé, d'un milicien, d'un patron de café et d'un libraire pour être enfin déflorée par un nègre américain en février 45. Actuellement fiancée au fils d'un magistrat.

jour avec Lolivier et il s'indignait que le régime des vacances soit le même pour un enfant de huit ans que pour un grand garçon de dix-sept. Je ne serais pas loin de lui donner raison. A propos, je ne t'ai pas dit, ce pauvre Lolivier est bien tourmenté. Ce soir, il m'a fait de la peine. Figure-toi que son gamin, qui n'a pas dix-neuf ans, a décampé de la maison avant-hier pour la deuxième fois et n'est pas encore rentré. Tu imagines dans quelle inquiétude il peut être.

— Il aura été arrêté par les Allemands.

— Non, ce n'est pas ce que craint Lolivier. Il semble penser à autre chose de louche. A ce que j'ai compris, le gosse fréquentait des milieux assez sordides et aurait même des penchants presque crapuleux. Du reste, j'ai eu l'impression que Lolivier ne me disait pas toute la vérité, comme s'il en avait eu honte.

— C'est affreux. Ce petit n'a pourtant pas l'air d'avoir une mauvaise nature. Il est poli, réservé, mais je le crois assez sournois.

— Je n'ai jamais pu l'encaisser, déclara Frédéric. Et au lycée, personne ne pouvait l'encaisser non plus. Quand il s'est fait flanquer à la porte, je crois que tout le monde a été content. Il n'avait pas un seul copain.

— Lolivier me le disait tout à l'heure, sa mère lui fait beaucoup de mal. C'est une femme qui n'a aucun sens moral. On ne peut même pas dire qu'elle se montre faible avec lui. Entre elle et leur fils, c'est une véritable complicité. Lolivier est persuadé qu'elle sait où se trouve le gamin. En tout cas, elle ne manifeste aucune inquiétude à son sujet. Pourtant, ça ne fait pas de doute. Il a sûrement filé avec une personne.

— C'est incroyable, soupira Hélène. Penser que ce pauvre enfant est en train de sombrer et que sa mère l'aura poussé à l'abîme.

Antoine se sentait pâlir et ne savait où poser son regard. Il lui semblait entendre commenter sa propre escapade. Encore, l'aventure du jeune Lolivier, qui inspirait aux gens normaux l'horreur et la pitié, était-elle moins coupable que la sienne. Lui, au moins, n'avait pas trompé la confiance de ses parents. Il avait, en outre, l'excuse d'une mère dépravée, complaisante à ses volontés. Antoine, au contraire, n'avait eu dans sa famille que de bons enseignements et non pas de ceux qui compromettent la morale par leur caractère agressif ou sentencieux ou désespérément résigné, mais des leçons involontaires que proposaient discrètement la vie de la maison, les conversations et l'atmosphère même. Sa mère, il y pensa, serait peut-être morte de saisissement si elle avait appris la vérité. Rien qu'à évoquer les ennuis de Lolivier, elle avait déjà un visage douloureux. Antoine se demanda s'il n'était pas un monstre, un fils dénaturé, sans cœur ni conscience.

— Pour des garçons de cet âge-là, dit Michaud, il n'y a rien de plus dangereux que ces excursions en dehors de la vie normale. A suivre ainsi leur caprice, ils perdent le goût de la discipline et de l'effort, ils prennent le pli de se laisser aller aux pentes faciles de l'existence qui ne mènent jamais bien loin. Et je ne parle pas des fréquentations démoralisantes qui les détournent de prendre la vie au sérieux. Le petit Lolivier n'avait déjà pas besoin de ça.

Ces paroles, prononcées sans aucune intention édifiante, éveillèrent un écho douloureux au cœur d'Antoine. Pour sa part, il y souscrivait presque sans réserve. Il fallait bien se rendre à l'évidence. Depuis qu'Yvette était son amie, il ne fichait presque plus rien au lycée. Le temps lui manquait pour travailler sérieusement et quand par hasard il en disposait, il avait l'esprit ailleurs qu'à ses devoirs. Peut-être serait-il recalé au bac. En fait, il était déjà sur le chemin de l'abjection. Comme le regard de son père rencontrait le sien, il piqua du nez sur sa montre.

— C'est vrai, l'heure approche, dit la mère. Ne te mets pas en retard, mon chéri. Pierre, il faut que tu lui donnes de l'argent.

Depuis une semaine, Antoine appréhendait cet instant où il lui faudrait, pour la vraisemblance, recevoir de ses parents un argent dont il n'avait pas besoin et qui leur manquerait peut-être. Le père tira lentement son portefeuille et son visage devint grave.

— Voyons, qu'est-ce qu'il te faut?

— Je n'ai pas besoin de beaucoup. A part le voyage, je n'aurai rien à dépenser. Je crois même que pour le retour, le père de Tiercelin nous ramènera en voiture.

Au cours de conversations précédentes, Antoine avait déjà parlé de ce retour en voiture, mais le père n'y avait pas prêté attention. Maintenant qu'il avait le portefeuille à la main, le mot l'impressionna fâcheusement. Il admettait l'existence des voitures comme un élément de la vie économique ou un signe hautement représentatif de la civilisation moderne, mais en tant qu'objets personnels, appartenant à des individus, elles lui inspiraient le sentiment de méfiance qu'il réservait ordinairement aux témoignages de la richesse superflue et de l'inégalité sociale.

— Je suis content que tu ailles en vacances, dit-il, mais j'ai un peu peur que tu te trouves dans un milieu où l'argent ne compte pas beaucoup. Comment se fait-il qu'à l'heure actuelle ce M. Tiercelin ait une voiture?

— C'est une voiture à gazogène, répondit Antoine en rougissant.

Michaud connaissait très mal la question, mais le mot éveilla en lui une idée d'ersatz miteux, incommode, qui le rassura.

— Evidemment, si c'est une voiture à gazogène, c'est autre chose.

— Une voiture à gazogène, ça coûte très cher à équiper, fit observer Frédéric.

Il se mordit la langue en voyant le visage du père redevenir soupçonneux.

— Je pense que tu pourrais donner mille francs à Antoine, dit la mère.

— Je n'en dépenserai sûrement pas la moitié, affirma Antoine. Cinq cents francs, c'est même plus que je n'ai besoin.

— Il vaut tout de même mieux avoir un peu d'argent sur soi. On ne sait pas ce qui peut arriver. Donne-lui mille francs.

Michaud ouvrit son portefeuille et en retira une mince liasse de billets. Hélène et ses enfants, silencieux, suivaient du regard ses moindres mouvements. Les visages avaient l'expression de tristesse et de timidité qu'imposaient toujours les problèmes d'argent lorsqu'ils étaient débattus en famille. Michaud étalant la liasse sur ses genoux, chacun put constater qu'il y avait là six billets de mille francs. D'ailleurs, les regards se détournèrent aussitôt comme s'ils venaient de rencontrer la nudité du père. Pour Antoine, ce fut le moment le plus cruel de la soirée. Malgré lui, son regard revint aux six billets de mille et les recompta. Il se souvenait du dernier argent qu'il avait donné à Yvette, une poignée de billets un peu plus importante que celle-ci et qu'elle avait fourrée négligemment dans son sac sans prendre la peine de les compter. Et durant ces dix jours qu'ils allaient sortir ensemble, ils laisseraient peut-être dans les bars et les boîtes de Montmartre plus d'argent qu'il n'en fallait pour faire subsister la famille pendant un mois. Avec une lenteur qui lui parut poignante, son père détacha un billet de la liasse et le lui tendit. Il voulut encore se défendre d'accepter une somme aussi importante, mais sa gorge était nouée et il demeura sans voix.

— Je n'ai pas besoin de te recommander d'être économe, dit Michaud. Tu sais combien la vie est devenue difficile. Ne te laisse jamais entraîner à une dépense inutile sans réfléchir à ce qu'elle représente dans le domaine de l'indispensable. Je ne veux pas dire de mal des gens qui gagnent de l'argent facilement. La chance a quelquefois un visage honnête. Mais je te mets en garde contre la tentation de croire que l'argent vite gagné et vite dépensé puisse avoir la même valeur que le nôtre.

Antoine, contracté, le visage coupable, prit le billet de mille et le plaça dans son portefeuille. La vue de ce portefeuille vide en mauvaise imitation de cuir attendrit Michaud. Il craignit d'avoir été un peu solennel et ajouta en souriant :

— Pense surtout à profiter de tes vacances et à bien t'amuser, mon enfant.

Ces paroles de bonté percèrent le cœur d'Antoine. Il prit sur-le-champ la résolution de renoncer à son séjour chez Yvette. Tout à l'heure, il rentrerait chez ses parents en déclarant qu'une mauvaise nouvelle obligeait Tiercelin à renoncer aux vacances en Bourgogne. Déjà, il pensait au visage qu'il se composerait, mais le ronflement d'un moteur changea brusquement ses dispositions.

— On entend un avion, dit Frédéric.

— C'est un allemand, affirma Antoine avec assurance. Il était pris de panique en songeant que sa mère ne le laisserait pas quitter la maison pendant une alerte. Une soudaine impatience de retrouver Yvette et de se sentir loin des siens l'oppressait. Négligeant toute précaution, il bâcla les adieux et embrassa rapidement sa mère, sans tendresse. Surprise, elle eut un regard anxieux auquel il prit à peine garde. Pierrette et Frédéric s'offraient à l'accompagner jusque chez Tiercelin, mais il déclina la proposition d'une voix irritée, sans même un mot de remerciement. Dans sa hâte d'être libre et d'oublier la famille, tous les refus lui devenaient faciles.

Yvette ouvrit la porte et eut peine à cacher sa déception et sa mauvaise humeur en reconnaissant Malinier. Une fois par mois, il se faisait un devoir de rendre visite à la femme de son collègue Grandmaison qu'il avait eu pendant trois ans comme voisin de bureau à la compagnie d'assurances « La Bonne Etoile » et qui se trouvait présentement dans un stalag du Brandebourg. Elle lui en voulait de surgir ainsi dans sa vie comme une statue du Commandeur, d'autant plus qu'il était rude, mal habillé, trop visiblement besogneux et d'une cordialité indiscrète. Le personnage lui faisait même un peu peur. Il n'était guère de conversation avec lui. La plupart du temps, il parlait seul, avec une violence désolée, et ses yeux fiévreux, sa voix rauque faisaient penser au délire d'un moine visionnaire. Les malheurs de la France lui étaient toujours présents. Il les ressentait dans son cœur et dans sa chair, il en souffrait comme peut souffrir une mère qui surveille l'agonie de son enfant.

— J'arrive du bureau, dit-il en suivant Yvette dans le boudoir aux nickels. Je voulais rentrer à pied, mais la pluie s'est mise à tomber. Quel monde y a dans le métro. Dire qu'autrefois on prenait son autobus tranquillement. Ah! si y avait que ça!

Il prit une chaise et posa son chapeau par terre. Au milieu de ses glaces, de ses nickels, de ses sièges à poil ras, de tout ce décor coûteux qui était comme un reproche ambiant, Yvette ne se sentait pas très à l'aise, mais Malinier, insensible au décor, ne voyait rien.

— Elisabeth va bien? demanda-t-elle.

— Ça va à peu près. Elle parle toujours de venir vous voir, mais avec les gosses, la nourriture, les queues, les tickets, elle est sur les dents. Elle a aussi ses histoires de sentiments. Je vous demande un peu, à notre époque. Les gens ont de la chance de pouvoir encore penser à ça. Moi, je sais bien... Dites, vous le trompez pas, vous, Grandmaison? Faut pas, mon petit, faut pas. C'est pas digne, c'est pas français. Oh! c'est dur, je sais bien. J'ai eu votre âge. Ça trotte dans la tête, ça trotte sous la peau. Et eux, alors, les prisonniers, vous croyez qu'ils l'ont pas sec aussi? Loin de chez eux, à bouffer des clous, et à penser qu'on est vaincu. Oui, vaincu.

Sentant qu'il glissait à ses préoccupations habituelles, Yvette essaya de le retenir en lui parlant de ses enfants. Malinier n'entendait déjà plus. Un feu sombre se concentrait dans ses prunelles, une violence douloureuse creusait son dur et maigre visage, accusait les bourrelets d'angoisse qui lui barraient le front.

— Vaincus, nom de Dieu. Dire qu'on en est là, nous la France. Je ne peux pas le croire. Quand j'y pense, misère, à la France, je me la revois du temps que j'étais môme, à la communale, que je la dessinais sur mon cahier de cartes. Foutue comme pas une femme au monde, avec ses belles petites formes fines, son joli museau tendu sur la mer, ses rivières bleues comme des veines de jeune fille, les préfectures et autre villes, et des voies ferrées qui partaient de Paris comme des coups de frisson. Avec ça solide, faudrait pas se tromper, bien d'aplomb. Je me rappelle, son Alsace-Lorraine, elle vous la portait sur le dos comme un soldat porte son sac. Pour l'Alsace-Lorraine, de mon temps, c'était un pointillé supplémentaire. Les autres vaches nous l'avaient prise. Mais moi, je me disais, minute...

Malinier ricana et à mi-voix, se mit à chanter :

Vous n'aurez pas l'Alsace et la Lorraine
Et malgré tout nous resterons Français...

Chou entra dans la pièce et vint à lui, prête à l'admiration. Sa mère l'attira auprès d'elle et l'embrassa pour dissimuler le rire qu'elle ne contenait plus. Mais Malinier ne prenait garde à rien. D'émotion, sa voix défaillit et il resta un moment à se recueillir et à ravaler sa salive. Yvette, toujours abritée derrière sa fille, interrogea d'une voix mal assurée :

— Elisabeth n'a pas trop de peine à se ravitailler?

— Incroyable. Penser qu'ils sont à Strasbourg comme à Rennes, à Orléans, à Poitiers, à Bayonne. Des fois, je me dis, Malinier, tu rêves. Je me touche les cicatrices. Là, sur l'épaule, c'est Nomény. Au côté gauche, les Eparges. Dans les fesses, la cote 304, onze éclats. Deux doigts de pied laissés à Craonne, plus un bout de ferraille dans le buffet. Je dis pas ça pour geindre, ni pour regretter. Il y en a de l'autre guerre, qui viennent raconter qu'on en avait marre, mais qu'on se battait parce qu'obligés. C'est pas vrai, je le jure. On en voulait, on était pour. Quand je laissais par terre, pour un bout de terrain, plus des trois quarts de ma section, je ne trouvais jamais que c'était cher payé. Un mètre de France, ça n'a pas de prix. En novembre 1918, à Metz... Mais non, pourquoi penser à ça. Ils sont là. Chez nous, sur nos trottoirs, en plein Paris, et l'air de trouver que c'est tout naturel. De les voir dans leurs uniformes, je sens mes blessures qui me font mal. Non mais quoi, qu'est-ce que c'est? Moi, Malinier, lieutenant de réserve, médaille militaire, cinq citations, arpenter l'avenue de l'Opéra à mon nez. Des gens, à Mayence, je les ai eus à mes bottes. Après ça, on viendra me parler des curés. Y a pas plus de bon Dieu que de beurre sur la main. Je me demande des fois si je ne deviens pas fou. La nuit, je me retourne dans mon lit, à penser et à réfléchir. Cette nuit, je m'imaginais que je construisais un appareil dans le genre d'un poste radio, avec des boutons, des manettes. Je mettais l'aiguille sur deux mille et c'étaient deux mille Fridolins de bousillés, sans qu'ils sachent comment ça leur arrivait. En une journée, je nettoyais toute l'armée d'occupation. Je n'ai plus guère le cœur à rire, mais de penser à la tête de leurs officiers, je me suis mis à me bidonner dans mon lit. Et pourtant, voyez ce que c'est que l'homme, j'avais quand même un peu de regret. Je me suis demandé si j'avais tellement bien fait de les tuer. On a beau dire, ces gens-là, ça n'a pas de parole, orgueilleux, menteurs, tout ce que vous voudrez, mais à côté de ça, ils ont leurs mérites aussi.

— On n'a pas à se plaindre d'eux, fit observer Yvette.

— Ce que j'estime, chez eux, c'est qu'ils ont compris. Discipline d'abord, il a dit, Hitler, et pas de discussion. La prison pour les communistes, et pour les Juifs, les barbelés. Et plus de francs-maçons, et fini aussi les peintres cubistes et les déconnages de poètes. Voilà comment il parle, lui. Et chez nous, il fait de la bonne besogne aussi. Il faut reconnaître ce qui est. Avant-hier encore, dans ma maison, il y a eu un Juif d'arrêté, un salaud qui vendait de la France au détail comme du temps des Blum et compagnie. Pourriture. Il avait un tableau cubiste dans sa salle à manger. Pas de pitié pour les assassins, les bourreaux de la France. Oui, bien sûr, Hitler est chez nous. Quand même, il y a des choses qui font penser. Qui c'est qui se bat contre les armées communistes? C'est bien les Allemands. Tout ce qu'on aurait aimé faire soi-même et qu'on ne pouvait pas, puisque les enjuivés tenaient la queue de la poêle, c'est les Allemands qui le font maintenant. Des fois, je me prends à penser que je voudrais être Allemand. Pourtant, quoi, le Boche est toujours le Boche. Y a pas à sortir de là. Les journaux nous parlent de collaboration. Et l'honneur alors, merde. Je sais bien, les journaux, ils sont tous vendus. Mais le Maréchal, lui aussi, il est pour la collaboration. Il n'est pas fou, le Maréchal. L'honneur, il s'y connaît peut-être un peu, il me semble. Et pourtant, d'un autre côté...

Depuis des mois qu'il y réfléchissait, Malinier oscillait entre deux pôles impossibles à rapprocher, qui ne lui proposaient même pas une alternative. Sa haine de l'Allemand et sa gratitude pour les bienfaits de l'hitlérisme étaient plantés dans sa dure tête comme deux bornes. Il allait de l'une à l'autre sans pouvoir les écarter de sa pensée ni les envisager dans une même perspective. Elisabeth Malinier, qui avait les oreilles rompues de ces rabâchages, disait qu'il ne savait penser que d'un œil.

Lorsque Antoine entra dans le boudoir, Malinier vaticinait, la tête entre les poings. La France, qui faisait les frais d'une paix de compromis, se trouvait démembrée, mutilée, réduite à quelques provinces. Réfugiée sur cet espace étroit, une juiverie polyglotte et pullulante dévorait la sève de la France et la moelle des Français; les communistes égorgeaient les notaires et les derniers patriotes tandis que les francs-maçons se partageaient les deniers de l'Etat et que les peintres cubistes installaient leurs chevalets sur la place de l'Opéra. Antoine essayait à peine de s'intéresser à ces évocations. Les problèmes de la guerre et de la paix le laissaient indifférent. Il ne ressentait nullement l'humiliation de la défaite et la vie sous l'occupation allemande lui paraissait normale. Les hauts prix et la difficulté de subsister ne le scandalisaient pas. Comme tous les jeunes gens de son âge, il avait entendu parler de la livre de beurre à vingt-quatre sous et, sans y avoir arrêté sa réflexion, il avait le sentiment que l'humanité était en marche vers la livre de beurre à dix mille francs du même mouvement sûr qui la conduisait, depuis ses origines, au massacre universel et total.

Il y eut un coup de sonnette. Chou alla ouvrir et introduisit dans le boudoir l'inspecteur primaire Coutelier. Il venait s'informer de la note obtenue par la composition française qu'il avait écrite quinze jours plus tôt pour Antoine.

— Au fond, ce qu'il faudrait, dit rêveusement Malinier, c'est que les Fridolins, ils épouillent d'abord la France, qu'ils suppriment les Juifs, les communistes, les maçons, les peintres cubistes, les financiers et les poètes, enfin quoi, toute la youpinerie et ses écuries. Qu'après ça on leur fasse la reconduite, et cette fois, bon dieu, jusqu'au cœur de la Prusse, à Berlin, oui bien. Nous, une fois là-bas, on n'aurait plus qu'à se mettre au balcon pendant qu'ils finiraient de liquider la Russie communiste.

— Monsieur, dit l'inspecteur primaire qui était resté près de la porte, je n'ai pas l'honneur de vous connaître, mais permettez-moi de m'étonner qu'un patriote puisse tenir semblable raisonnement. Je vous dirai d'abord que j'ai marié ma fille à un Israélite.

Malinier n'avait pas pris garde à l'entrée du visiteur. La présence de ce vieillard à la voix drapée et au maintien de sénateur le surprit un peu.

— On n'a pas idée non plus, dit-il simplement.

— Pas idée de quoi monsieur?

— On n'a pas idée de marier sa fille à un Juif. Pour ça, les Allemands ont raison et moi, je les approuve, et comment.

— Monsieur, ce sont vos Allemands qui ont tué ma fille pendant l'exode. Ce sont aussi vos Allemands qui ont interné mon gendre.

— Dites donc, pourquoi me dites-vous : « vos Allemands? »

— Puisque vous approuvez leurs crimes, c'est donc que vous vous solidarisez avec eux.

La bouche tordue par la haine et le mépris, le vieillard regardait son interlocuteur avec des yeux striés de sang, et le gris terreux de son maigre visage avait d'un coup viré au rose vif. Malinier, apparemment plus maître de lui, ravalait péniblement sa colère.

— Quels crimes? demanda-t-il. Alors quoi, c'est un crime d'enfermer les Juifs?

— Monsieur, je ne prendrai pas la peine de vous répondre. Certaines conversations ne sont possibles qu'entre Français.

— D'accord. Un Français qui a versé son sang pour son pays n'a pas à discuter avec un vieux cubiste enjuivé. Les Français en France et les Juifs au ghetto.

Quoique un peu intrigué par l'appellation de cubiste, l'inspecteur tourna le dos à Malinier et, affectant de l'ignorer, parla de la composition française. Elle avait été notée quatorze sur vingt et le vieillard affirma que le correcteur, pour n'en avoir pas pénétré l'esprit, s'était trompé dans son appréciation. Il crut devoir résumer et expliquer les intentions qu'il y avait mises. Yvette et Antoine se résignèrent à l'écouter, non sans échanger des regards consternés. Par une ironie du sort, l'exposé n'intéressa que Malinier. Ce qui, au départ, ne voulait être qu'un résumé ne tarda pas à prendre l'ampleur d'un discours.

— Avant l'idée de patrie, disait le vieillard, il y a d'abord la patrie, laquelle n'est pas un concept, comme pourraient le faire croire les termes dans lesquels on nous propose le sujet, mais une réalité, je dirai même un immeuble. En effet, on ne saurait mieux faire comprendre cette réalité de la patrie qu'en la comparant à une maison et, si nous l'avions oublié, nos malheurs nous l'ont rappelé : quand la toiture est crevée, il pleut à l'intérieur. Autrefois, avant nos revers, il y avait des Français assez inconscients pour soutenir que la patrie était une construction artificielle, absurde, ne devant sa situation, ses limites, son importance, qu'à des hasards et des contingences historiques ou à des décisions arbitraires qui faisaient le jeu d'intérêts personnels. « N'est-il pas contraire au bon sens et à toute logique, disaient-ils, que pour être nés cent mètres plus à l'Est ou cent plus à l'Ouest, des malheureux se fassent casser la tête pour la République ou pour le roi de Prusse? » Ces objections, qui pouvaient être dictées par un sentiment de large humanité, ne tenaient évidemment aucun compte de la réalité. Ce que ces gens-là reprochaient à la patrie, un paysan peut le reprocher à sa maison, dire que le hasard et l'arbitraire ont présidé à sa construction, qu'elle n'est pas agencée commodément, qu'elle aurait été mieux située de l'autre côté de la route, que lui-même aurait pu naître dans une autre demeure. N'empêche que c'est cette maison-là qu'il habite et non pas celle qui aurait pu être de l'autre côté de la route, ni cette autre où il aurait pu naître. Et c'est cette maison-là qu'il est de son devoir et de son intérêt de défendre contre les intempéries...

Malinier trouvait que le bonhomme parlait bien et il s'alarmait de se sentir, sur des généralités essentielles, en parfaite communion d'idées avec un suppôt de la judéo-maçonnerie, associé à une œuvre de subversion qui avait conduit la France à la défaite. Il aurait voulu douter de sa sincérité et n'y parvenait pas. La bonne foi de l'inspecteur primaire lui paraissait d'une évidence indiscutable.

Debout entre les genoux de sa mère, Chou béait au discours de M. Coutelier, dont le contenu était pour elle d'une obscurité impénétrable. Après lui avoir parlé à l'oreille, Yvette quitta discrètement la pièce en adressant à Antoine un signe d'intelligence et gagna la chambre à coucher. Rien n'avait changé dans l'ameublement de ce qui était autrefois la chambre des époux. Le lit de cuivre, l'armoire à glace, la console et les deux chaises étaient restés à leurs places respectives, mais les tentures et les papiers étaient fanés, les meubles et le parquet ne brillaient plus, les carreaux des fenêtres étaient presque malpropres. Dans un coin s'entassaient des paquets, des sacs et des objets hors d'usage. La pièce servait à la fois de débarras et de chambre à coucher à Chou. Lorsqu'elle y pénétrait, il arrivait à Yvette Grandmaison de faire un retour en arrière. Ce n'était pas pour s'abandonner à un remords de conscience ou soupirer après les années passées, mais pour ressaisir une certaine image d'elle-même surgie dans le cadre de sa vie d'épouse. Le souvenir de Jean Grandmaison, présentement sergent et prisonnier dans un stalag du Brandebourg, ne s'y associait qu'accessoirement. Avec une curiosité lucide, Yvette se revoyait à la veille de la guerre dans son rôle de ménagère appliquée, s'acquittant de sa tâche de femme avec une habileté nonchalante, une sorte d'acharnement paresseux, un dévouement économe, une volonté un peu diabolique qui s'employait languissamment au bonheur de la famille, un art d'embellir la vie en fabriquant un mensonge utile avec une mosaïque de vérités. Si la guerre n'était pas venue en bouleverser le cours, son existence tout entière se serait ainsi consommée dans les plaisirs et les peines du foyer, Yvette en avait la certitude. Mais elle ne s'étonnait pas de s'être engagée dans une voie opposée quand l'occasion l'en avait sollicitée. Jeune fille, elle sentait déjà en elle plusieurs virtualités contraires et se résignait d'ailleurs à l'idée que la vie ne les délivrerait pas toutes. Devenue une épouse exemplaire, elle avait continué à sentir en elle ces possibilités d'autres existences, mais sans les appeler ni les regretter. Aujourd'hui, après avoir été entretenue tour à tour par une demi-douzaine d'hommes de modestes moyens, elle vivait des ressources qu'Antoine tirait du marché noir et, consciente d'une rupture avec le passé, devinant à quelles échéances l'exposait le choix d'une pente facile, elle n'en avait pas moins le sentiment de mener une vie normale et d'être restée fidèle à elle-même. L'absence de certains scrupules, l'indifférence à de larges compartiments de la morale, qui avaient succédé en elle à un respect étroit des convenances et au point d'honneur de l'épouse accomplie ne constituaient même pas à ses yeux un changement de physionomie. Les sentiments élevés, le sens de l'honneur, de la dignité, lui semblaient tenir à un mode de vie et non pas à la nature profonde de l'individu. Lorsque Antoine vint la rejoindre dans la chambre, le souvenir de ses activités de bonne ménagère, qui l'avait à peine effleurée, fondait déjà dans la chaleur de son impatience. Tandis qu'il fermait la porte à clé, elle lui demanda en ouvrant son peignoir :

— Le vieux est toujours sur la patrie?

— Oui, toujours. Pourvu que l'autre n'aille pas lui casser la figure.

Les craintes d'Antoine étaient heureusement mal fondées, Malinier n'ayant pas l'humeur belliqueuse, mais plutôt rêveuse et presque philosophique. La contradiction flagrante qu'il apercevait entre la ferveur patriotique du vieillard et sa dévotion aux puissances perverses du judéo-marxisme ne le surprenait pas outre mesure. Lui-même vivait partagé entre deux principes apparemment inconciliables. La parfaite bonne foi avec laquelle l'inspecteur primaire accommodait l'amour de la France et l'anti-France cubiste lui donnait à réfléchir. Il commençait à entrevoir une région de l'esprit où les contraires, à l'abri des rigueurs d'une logique implacable, se composaient intimement sans rien perdre de leurs exigences respectives. L'idée d'un tour de passe-passe ou d'une abdication déguisée ne l'effleurait pas, mais il envisageait le problème de cette fusion sous des èspèces vaguement esthétiques qu'il ne se sentait pas encore en état de formuler. En dépit de son hostilité à l'égard de Malinier qui constituait, avec Chou, tout son auditoire, l'inspecteur n'avait pu se résoudre à interrompre son exposé, mais l'inclinait tendancieusement. Exploitant sa comparaison, il parlait d'un honnête cultivateur qui élevait une nombreuse famille dans la maison de ses ancêtres. Père de huit enfants, le cultivateur adoptait un orphelin qui lui était aussi cher que ses autres fils et le payait en retour d'une tendre affection. Malinier approuvait à coups de menton et de monosyllabes, et l'inspecteur, craignant de n'avoir pas été bien compris, insistait sur le fait que l'orphelin ne ressemblait pas à ses frères adoptifs.

— Et son prénom était Isaac.

— Pourquoi pas? disait rêveusement Malinier.

— Vous voyez bien! triompha l'inspecteur.

— Oui, en effet, il me semble que je commence à voir.

Chou avait été intéressée par l'histoire du bon cultivateur, mais M. Coutelier se mit à parler des Allemands et redevint incompréhensible. Chou n'avait pas encore la notion de ce qu'était un pays ennemi ou seulement étranger, et quant aux Allemands, ses idées étaient courtes. Allemand était pour elle synonyme de soldat et la crainte ou l'antipathie qu'inspiraient à beaucoup de gens les uniformes verts s'expliquait assez par ce métier de soldat qui consiste à tuer son prochain. En raison de cette méchanceté professionnelle des hommes verts, elle n'osait dire à personne qu'elle était la fille d'un soldat, d'un

Allemand, et sa mère elle-même ne devait pas être très fière de cette parenté, car elle en parlait rarement. Chou se demandait pourquoi son père était prisonnier, s'il avait trop tué ou pas assez, et surtout pourquoi prisonnier dans « une salade de brandebourgs », qu'elle entendait pour stalag de Brandebourg. M. Rigoulet [1], qui avait cessé depuis trois mois de venir coucher à la maison le samedi soir, possédait un pyjama à brandebourgs et, s'il était possible de faire une salade de ces bouts d'étoffe, comment l'imaginer aux dimensions d'une prison? Il n'y avait d'ailleurs là qu'un de ces nombreux mystères-limites au-delà desquels l'univers reste fondu et englué dans les mots sans pouvoir prendre forme.

— Qui sait si le père de cette petite, qui est dans une salade de brandebourgs, ne sera pas expédié dans un coin d'une crème pour se battre contre l'ours? disait l'inspecteur.

Chou ne s'étonnait de rien. Observant M. Malinier, elle se demandait si les paroles du vieillard lui étaient vraiment plus intelligibles qu'à elle-même. Il avait l'air

1. M. Rigoulet, avant la guerre, était voyageur de commerce et faisait la chaussure dans le Sud-Ouest. Sous l'occupation, il s'enrichit au trafic des cuirs, entretint Yvette assez chichement pendant quatre mois et la quitta pour réaliser le rêve de sa vie : être l'amant d'une actrice. Denise, sa nouvelle maîtresse, le convertit au fascisme et à l'antisémitisme. Lui-même, servi par son éloquence professionnelle, fit de nombreuses conversions. Fin 43, à la suite d'une dénonciation de femme jalouse, il eut l'amertume d'être envoyé dans un camp de déportation. Libéré en avril 45, il sut se prévaloir de son martyre et, servi par ses relations du camp, obtint une direction importante dans un ministère. Ayant abusé trop notoirement des pots-de-vin, il fut contraint de démissionner et refusa la compensation dérisoire d'un poste de préfet, qui lui était proposée. Il pense maintenant à la députation.

de ne plus pouvoir suivre et de penser à autre chose. Son attention s'était concentrée sur un cendrier et lorsque Yvette revint dans la pièce, il mit un certain temps à en détourner son regard. Lentement, le buste raide et le regard vide, comme s'il avait tenu un œuf en équilibre sur sa tête, il quitta son siège et, prenant congé distraitement, sans même une allusion au prisonnier, sortit de l'appartement.

Dans la rue, malgré la nuit favorable à un effort de concentration, il ne put maintenir l'édifice fragile et encore inconnu qu'il portait en lui depuis un quart d'heure. C'était moins qu'une idée et plus qu'un avertissement de la sensibilité. Il se rappelait, enfant, avoir éprouvé la même chose lorsqu'il était sur le point de trouver la solution de quelque problème de robinets. Ayant trébuché au bord du trottoir, il jura entre ses dents et l'idée qu'il sentait en lui à l'état de promesse s'évanouit sans retour. A cause du brouillard, la nuit était déjà noire. Malinier n'avait pas de lampe de poche, car les piles électriques étaient chères et s'usaient rapidement. Il se mit en route à tâtons pour son domicile de la rue de la Condamine. Il ne pensait plus à rien de suivi et se laissait aller à l'impression de cheminer dans un monde bienveillant où toutes les misères du présent s'étaient assoupies. La nuit, comme un manteau de Noé jeté sur la défaite, le séparait des réalités humiliantes, noyait les ombres du malheur et épaississait l'espace de telle sorte que la victoire allemande y perdait toute résonance. Il lui semblait que dans une nuit perpétuelle, la présence du vainqueur eût été tellement diminuée qu'elle aurait perdu sa signification. Aux étages des immeubles bordant la rue Lepic, les rideaux de défense passive laissaient filtrer des lumières bleues, sans portée, et parfois un filet de lumière blanche qui prenait la teinte laiteuse du brouillard. Ces clartés courtes qui sourdaient des maisons changèrent l'humeur de Malinier. L'obscurité cessa tout d'un coup d'être bienveillante. Il se sentait au fond d'une nuit artificielle, voulue par le vainqueur, favorable à ses desseins, une nuit puante et chuchotante de la misère du vaincu. Place Blanche, il faillit heurter un groupe de soldats arrêtés au coin de la rue Lepic et riant avec des filles qui mettaient leur point d'honneur à s'exprimer en allemand. Malinier une fois de plus en fut douloureusement affecté. Bien qu'il ne les eût jamais fréquentées depuis qu'il avait, en 1928, quitté l'uniforme, les filles étaient pour lui un bien national, une catégorie de créatures prises dans le ciment humain de la communauté française et qu'il se refusait à considérer comme un simple matériel. Un soir de l'été précédent, passant place Clichy, il avait exhorté des professionnelles qui racolaient des Allemands, leur remontrant que ce n'était pas bien de coucher avec l'ennemi et qu'il ne manquait pas de bons Français à qui s'adresser. Son point de vue avait été sévèrement apprécié.

VII

Avec l'accent d'une conviction profonde, Yvette avait affirmé à plusieurs reprises qu'elle ne s'était jamais sentie aussi pleinement heureuse. Antoine avait dit la même chose un peu timidement. Si jeune, la chose semblait aller de soi. Il ne pouvait trouver dans ses souvenirs l'équivalent de cette première soirée chez Yvette. L'importance des instants qu'il était en train de vivre ne cessait pas d'être présente à son esprit. Il avait profondément éprouvé la sensation de la liberté. L'ivresse du tête-à-tête ne l'empêchait pas de se rendre compte de l'écoulement du temps, qui prenait une signification nouvelle. C'était à la fois un plaisir et un déchirement. Chaque minute révolue aiguisait son bonheur d'une légère montée d'angoisse, qui lui rappelait celles de sa petite enfance. Lorsque Yvette s'absentait de la pièce, le silence était presque effrayant, le décor devenait étranger, absurde, et Antoine se demandait s'il n'allait pas s'éveiller. Parfois, au cours de la conversation et aussi bien lorsqu'il était lui-même en train de parler, il envisageait soudain son extraordinaire situation avec effarement et, conscient de n'être qu'un enfant, il éprouvait un fugitif sentiment de honte. Yvette devinait ces retours et ces tiraillements et, sentant la présence de la famille Michaud, s'employait à l'éloigner. Elle parlait avec une sincérité ardente et des superlatifs passionnés. Je comprends qu'on meure d'amour, disait-elle. Antoine le comprenait aussi, mais n'était pas sûr d'en être capable.

— Mon petit Antoine, je ne peux pas me faire à l'idée que tu me quitteras pour rentrer chez toi. Je deviens folle d'y penser. Dix jours, c'est si vite passé. Je ne veux pas.

— Tu sais bien que je ne peux pas faire autrement.

— Ne dis pas que tu ne peux pas. Si tu m'aimais comme je t'aime, tu trouverais le moyen de rester toujours. Ce serait si doux, chéri.

Ce n'était qu'une idée en l'air. Au moment de se coucher, Antoine eut une inquiétude. Il se demandait jusqu'à quelle heure il convenait de faire l'amour. Les livres et les chansons parlent volontiers de nuits d'amour. Dans un roman sérieux, couronné par un jury littéraire, il avait lu qu'au cours d'une certaine nuit, deux amants s'aimaient d'une si grande ardeur que la volupté devenait douloureuse. Antoine n'avait pas l'intention d'aller jusque-là, mais il aurait voulu se conformer aux meilleurs usages. Consulté sur ce point, Tiercelin avait répondu : « Le moins possible. On n'est pas plus avancé au bout de plusieurs fois qu'au bout de la première et on se fatigue bêtement. » Mais en cette matière, son opinion comptait peu. Tiercelin était une nature austère qui répugnait aux superflus. Pourtant, cette première nuit se consomma selon ses préceptes d'économie, car Yvette s'endormit aussitôt après la première étreinte. Habitué à coucher seul, Antoine eut un mauvais sommeil. Vers trois heures du matin, il se crut obligé à réveiller Yvette pour lui témoigner sa bonne volonté passionnée, mais elle se tourna au mur avec un grognement qui le dissuada d'insister.

Le lendemain, qui était dimanche, ils ne quittèrent pas l'appartement de la journée. Craignant de rencontrer quelqu'un des siens ou un ami de ses parents, Antoine voulait autant que possible éviter de sortir en plein jour. Pas un instant, il ne s'ennuya ni ne regretta sa famille. D'ailleurs, la présence de Chou qui lui témoignait une confiante affection créait une atmosphère de rassurante intimité familiale. Au lieu de la vie qu'il s'était plu à imaginer, haletante, consumée dans la hâte de mettre le temps à profit, il semblait que son séjour au creux de cette retraite amoureuse dût s'écouler dans une aimable et douillette facilité. Ce qui l'étonna le plus fut de découvrir Yvette sous un jour encore inconnu. Jusqu'alors, il n'était jamais venu chez elle que pour quelques heures. Durant ces instants qui leur paraissaient trop courts, Yvette était toute à la rencontre et la joie, le désir de plaire animaient sa parole et son attitude sans même qu'elle s'y efforçât. Sans doute aurait-elle pu, en s'y appliquant, se maintenir une journée entière à ce diapason, mais la présence d'Antoine, déjà trop familière, ne l'y incitait plus. Détendue, elle se laissait voir au naturel et parfois sans aucune précaution. Il aimait avec trop de ferveur pour oser reviser l'opinion qu'il s'était faite de la jeune femme, mais tout en mettant certaines défaillances de caractère sur le compte d'une disposition passagère, il se sentait moins sûr d'une certaine image d'Yvette qu'il portait en lui.

Vers la fin de la matinée, Tiercelin passa voir Antoine. Yvette était occupée à faire sa toilette. Il trouva son camarade enveloppé dans un peignoir de femme sur le divan de la chambre aux nickels et jouant avec Chou à découper des silhouettes dans un catalogue de modes. Après bonjour, Antoine parla des plaisirs de la liberté et vanta la saveur d'une existence tout abandonnée à l'amour. Debout devant lui, Tiercelin écoutait sans interrompre. Il avait un visage froid et attentif. Lorsque Chou, appelée par sa mère, eut quitté la pièce, il dit à Antoine :

— Je n'ai jamais vu d'un bon œil que tu passes tes vacances ici et je ne me suis pas gêné pour te le dire. Tu n'as pas l'humeur assez indépendante pour une expérience du genre de celle-là. Tu as une petite nature sensible qui prend part, peut-être parce que tu es encore très jeune. Tu es de ces types qui se laissent envelopper par des gentillesses, par une atmosphère de chiffons et qui finissent par devenir de vraies femmes. Tout ça, je te l'ai déjà dit. Mais maintenant que je te vois installé chez Yvette, je me rends mieux compte que tu es en train de faire une bêtise. Tu as déjà l'air d'une petite chose charmante et je ne te donne pas trois jours pour tourner au pékinois. Si tu pouvais te voir toi-même, tu serais peut-être écœuré.

Tiercelin parlait avec un apparent détachement auquel Antoine ne se trompait pas. Il le sentait peiné et inquiet.

— En somme, tu me considères comme un type efféminé, une petite tête faible dont les fréquentations seraient à surveiller.

— Non, j'ai dit une nature sensible. Tu crois peut-être que je veux t'épater en jouant à l'homme averti, mais depuis l'âge de treize ans que je fréquente le bar de mon père, j'ai vraiment acquis une expérience que tu es très loin d'avoir. Je suis au courant d'un tas de petites histoires de femmes, des histoires que j'ai suivies depuis leurs commencements. Et un cas comme le tien, je l'ai rencontré peut-être cent fois. Des types jeunes, bien doués, qui avaient quelque chose à faire dans la vie et qui s'embringuaient bêtement dans des habitudes de collage et de petits métiers d'amateur.

— Pour dix jours que je vais passer avec Yvette, je ne suis tout de même pas perdu.

— Il en faut moins que ça. Quand tu auras mené cette vie-là pendant dix jours, tu auras du mal à rentrer chez toi. Et à ce moment-là, si tu n'avais pas peur de peiner tes parents, tu déciderais purement et simplement de rester avec Yvette en gagnant ta vie au marché noir. Tu ne prendrais même pas la peine de passer ton bac en juillet. Tu peux rire, j'ai vu des types beaucoup plus forts que toi se laisser prendre à la tiédeur d'une vie de coton et d'eau de bidet, pour des femmes souvent bien ordinaires. Et je ne sais pas si tu t'en rends compte, mais Yvette n'est pas une femme ordinaire.

— Oh! je sais bien.

— Quoi? Qu'est-ce que tu sais? Qu'Yvette est une créature divine? C'est possible, mais ce qui est sûr, c'est qu'elle est beaucoup plus forte que toi. Tu sais que si tu es devenu son ami, c'est malgré moi, j'en ai voulu et j'en veux encore à Flora d'avoir manigancé l'affaire sans me le dire. Si l'idée m'était venue de te flanquer une femme dans les bras, je n'aurais jamais été choisir Yvette. Evidemment, c'est tout de même moi le responsable. Rien ne serait arrivé si je n'avais pas eu la bêtise de te faire gagner de l'argent.

Antoine devint très rouge et, quittant le divan, répliqua d'une voix rageuse que Paul ne lui connaissait pas :

— L'argent n'a rien à voir là-dedans, Yvette m'aime.

— J'en suis persuadé, mais ça ne veut pas dire qu'elle t'aurait aimé si tu avais été sans le sou.

— Tu la connais bien mal. Il y a quinze jours, elle m'a justement demandé de ne plus faire de marché noir. Elle était décidée à travailler.

— Tu aurais bien dû la prendre au mot. Elle t'en a reparlé depuis?

— Elle n'avait pas à m'en reparler puisque j'ai refusé.

Antoine avait un regard de défi et son visage était encore enflammé. Paul alla jeter un coup d'œil par la fenêtre pour lui laisser le temps de se refroidir. Il tombait depuis le matin une longue pluie égale. Les maisons d'en face paraissaient malades et frileuses. Antoine, déjà plus calme, se remémorait l'instant où Yvette lui avait demandé d'abandonner le trafic de marché noir. Il revoyait, penché sur le sien, le visage ardent, illuminé par la joie du sacrifice et il avait encore dans l'oreille la voix frémissante qui réclamait la pauvreté comme une récompense. Mais ce grand élan vers le bien, cette impérieuse fringale de vertu avaient tourné court et s'étaient satisfaits d'un refus à peine affirmé. Le remords d'Yvette n'avait été qu'une flambée. L'instant d'après, elle n'y pensait plus du tout. Surgissant après la conversation avec Paul, ces souvenirs s'éclairaient d'une lumière désobligeante. A la réflexion, Antoine aurait préféré qu'Yvette ne se fût jamais livrée à cette manifestation honorable. Il alla rejoindre Paul devant la fenêtre et regarda tomber la pluie. L'eau d'une gouttière crevée chantait sur le trottoir. Quelques parapluies se hâtaient dans la rue Durantin. Au quatrième de la maison d'en face, un gamin [1] se penchait par la fenêtre et s'efforçait de cracher sur le parapluie de la concierge. S'approchant à pas de loup, son père l'arracha de la fenêtre par le col et le calotta, ce qui fit rire les deux amis.

— J'ai quelque chose à te proposer, dit Paul. Si tu veux, on part tous les deux demain matin pour Chailley avec la voiture de Primo. On aura un temps de cochon. Une semaine à se balader sous la pluie dans les chemins de la forêt d'Othe. On rentre le soir, vanné, on se chauffe les tibias devant un bon feu, on dîne et on va se coucher. Dans la forêt, les bourgeons commencent à éclater. Sous la pluie, ça vous a une odeur qui nourrit comme du pain. C'est autre chose que les crèmes de beauté. Quand tu seras revenu à Paris, tu en auras pour des mois à renifler la forêt détrempée et à entendre chanter la pluie.

1. Le gamin, qui avait sept ans, s'appelait René Tournon. Affectueux, prévenant, espiègle un peu, il vivait heureux entre ses parents et sa grand-mère. Tournon, le père, recevait chez lui une fois par semaine trois ou quatre camarades, comme lui communistes et résistants, avec lesquels il s'entretenait librement en présence de sa famille. Un jour de septembre 43, René arrêta un jeune officier allemand sur le boulevard de Clichy et lui remit une lettre dans laquelle il dénonçait son père et les camarades de celui-ci en fournissant sur leurs activités les renseignements les plus pertinents. N'eût été de l'écriture et de l'orthographe, on aurait pu croire que la lettre avait été rédigée par un homme très averti des questions politiques. L'officier, un lieutenant autrichien, ne put se décider à faire parvenir la dénonciation à la Gestapo et la déchira le lendemain. Pendant deux mois, le petit René vécut dans une anxiété de chaque instant; néanmoins, son visage restait calme et rien dans sa conduite ou son attitude ne trahissait son angoisse. Six mois plus tard, lorsque son père mourut d'une pneumonie double, il eut un profond chagrin dont se ressentit sa santé.

Antoine sourit et, tournant la tête, donna un coup d'œil à la chambre aux nickels. Il s'y trouvait bien.

— Tu pourras écrire de vraies lettres à tes parents, dit encore Tiercelin.

— Je ne peux pas laisser Yvette.

— Pourquoi?

Antoine n'eut pas à répondre. Yvette entrait dans la pièce. Elle parut heureuse de voir Paul et l'embrassa avec l'affectueuse déférence des habituées de bar pour le fils du patron. L'élégance du jeune Tiercelin, sa maîtrise de soi-même et son maintien distant lui valaient un surcroît de considération.

— Tu déjeunes avec nous?

— Je ne peux pas. On m'attend. Je venais demander à Antoine s'il voulait venir passer huit jours avec moi à la campagne.

Yvette ne manifesta d'abord ni surprise ni contrariété. Antoine le constata non sans amertume et se hâta de déclarer :

— J'ai répondu à Paul que je ne voulais pas te laisser seule.

Yvette se jeta à son cou et protesta qu'elle aurait eu une bien grande peine de le voir partir.

— N'en parlons plus, dit Paul. Ce sera pour l'année prochaine. On vous verra ce soir?

— Oui, je descendrai au bar avec Antoine. Flora sera là?

— J'espère que non. Tout est fini entre nous depuis hier soir.

La nouvelle de cette rupture consterna Yvette qui voulut savoir pourquoi et comment les choses s'étaient passées.

Très simplement, répondit Paul. Il était allé chez Flora hier soir et lui avait déclaré qu'il se trouvait trop jeune pour avoir une maîtresse.

— J'estime qu'à dix-sept ans je suis encore en pleine croissance et que ce genre de fatigue m'empêche de me développer. C'est pourquoi j'ai décidé de remplacer nos rendez-vous par une demi-heure de culture physique. Je lui ai dit aussi que je passais mon bac dans trois mois et qu'on ne peut pas faire un travail sérieux en s'occupant d'une femme. Voilà. C'est tout.

— Mais c'est une folie. Tu n'as pas réfléchi à ce que tu faisais. Flora t'adore, je suis sûre qu'elle va tomber malade. Elle est capable d'en mourir.

— Je ne pense pas, dit Paul. Ce que je crois, c'est qu'elle est ennuyée à cause de ses amis et des gens qui la connaissent. On avait l'habitude de nous voir ensemble, on savait ce que nous étions l'un pour l'autre. Comme elle tient beaucoup à l'opinion des garçons de café et des habitués de certains bars, elle va se trouver gênée en face d'eux. Je lui ai conseillé de quitter le quartier.

Bien que sachant depuis longtemps à quoi s'en tenir sur les sentiments de Paul à l'égard de Flora et des femmes en général, Antoine l'écoutait avec stupeur. Il y avait dans ses propos une liberté d'attitude qui le confondait. Parmi ses camarades de classe qui étaient pour la plupart des garçons sérieux, aucun n'aurait osé déclarer en présence d'une femme qu'il se jugeait trop jeune pour avoir une maîtresse et à vrai dire, aucun ne le pensait, tandis que Paul, lui, parlait avec conviction, sans plus de désinvolture que de fausse honte. D'autre part, Antoine se trouvait singulièrement visé par cette rupture. Outre les raisons alléguées, il existait entre les deux couples une symétrie menaçante. Se gardant d'aucun commentaire qui l'eût amené à considérer son propre cas, il s'écarta d'un pas et regarda tomber la pluie dans la rue Durantin. Moins timide, Yvette n'avait pas laissé passer l'allusion et défendait le droit à l'amour. Rien ne s'opposait à ce qu'un garçon de dix-sept ans eût une maîtresse puisque à cet âge-là, nombre de jeunes gens sont déjà mariés, souvent pères de famille. Précisément, son père était âgé de dix-sept ans lorsqu'il avait épousé sa mère, jeune veuve de vingt-cinq. Quant à prétendre qu'un homme ne pouvait travailler sérieusement avec un amour en tête, il fallait être insensé. Toujours dans sa famille, Yvette citait l'exemple d'un frère de son père, qui avait langui toute sa vie pour les beaux yeux d'une indifférente et n'en avait pas moins été reçu à Polytechnique [1].

— Et ce n'est pas moi qui empêcherai Antoine de travailler, au contraire. D'ailleurs, à partir de demain, je veux qu'il travaille tous les matins de huit heures à midi. Hein, chéri, c'est entendu? De huit heures à midi. Je suis certaine que si tu restais ici, tu travaillerais mieux que chez toi.

— Sûrement, approuva Antoine, je serais beaucoup plus tranquille ici.

— C'est l'évidence même. Le soir, en rentrant de classe, tu t'installerais là pendant que je lirais sur le divan ou que je ferais des courses. Personne ne te dérangerait et tu ne perdrais pas de temps en allées et venues. J'y ai déjà pensé souvent et plus j'y réfléchis, plus je suis

1. En réalité, le père d'Yvette avait quarante-deux ans lorsque, à Auxerre où il était receveur des postes, il épousa une jeune veuve. Et le frère de son père, qui était employé de mairie à Nevers, avait pris femme à vingt-cinq ans.

persuadée que tu aurais intérêt à ne pas rentrer chez toi la semaine prochaine.

— Ah! non, protesta Paul, tu ne vas pas encore lui fourrer cette idée-là en tête. Il est déjà suffisamment abruti. Regarde-le. Il n'y a pas vingt-quatre heures qu'il est chez toi et il est déjà comme un animal domestique. Passif, sans réaction, l'œil éteint, ne sachant plus dire que oui à tes idioties.

— Naturellement, tu préférerais qu'il approuve les tiennes. Parce que tu t'es conduit comme un mufle avec Flora, tu voudrais qu'il en fasse autant avec moi. Mais Antoine a encore la tête sur les épaules, heureusement. Et d'ailleurs, il est assez grand pour savoir ce qu'il a à faire.

— Justement non, il n'est pas assez grand. C'est un gosse qu'on peut mener n'importe où avec un petit air de musique. Tu le sais aussi bien que moi et tu en profites.

Yvette avait l'œil mauvais et la narine palpitante. Elle se contint pourtant et eut un sourire qui effaça sur son visage toute trace de colère.

— Parlons d'autre chose, dit-elle. On veut avoir raison, on s'excite et on finit par se dire des choses blessantes.

— Du reste, il est temps que je m'en aille. Au revoir.

Antoine reconduisit Paul jusqu'à la porte d'entrée et, en lui serrant la main, le regarda presque humblement.

— Tu as encore tout l'après-midi pour réfléchir à notre voyage, dit Paul. Il suffit que tu te décides ce soir. Départ demain matin à huit heures.

— Voyons, murmura Antoine, tu sais bien que c'est impossible. Mets-toi à la place d'Yvette. Depuis un mois, elle ne pense qu'à ces dix jours qu'on doit passer ensemble.

— N'empêche que quand je lui ai fait part du projet, elle n'a pas eu un mot pour protester. Elle n'avait même pas une mine contrariée. Si tu connaissais mieux Yvette, tu comprendrais qu'une idée comme celle-là lui ait semblé toute naturelle. Pour elle, une décision prise entre hommes, ça ne se discute pas. Mais toi, tu te dépêches de lui rappeler que tu es un petit garçon obéissant. La vérité, c'est que tu ne peux déjà plus te passer d'être dans ses jupes. A l'idée de rester huit jours sans la voir, tu te sens les jambes molles, tu ne raisonnes même plus. Ce que je t'en dis, ce n'est pas pour t'embêter, mais je t'assure que tu es dans un sale tournant.

— Dès qu'il s'agit de femmes, tu exagères tout. J'aime Yvette et j'ai envie d'être avec elle, je suis heureux de la sentir près de moi. C'est bien naturel et c'est même le contraire qui serait surprenant. Toi, tu ne sais pas ce que c'est que l'amour, tu le méprises. Mais on n'est tout de même pas perdu parce qu'on aime une femme.

— Au revoir. Pense tout de même au voyage.

— Au revoir. N'oublie pas ma lettre et le colis pour mes parents.

— Ne t'inquiète pas. Je les ai donnés à Primo hier soir. Tes parents les recevront mercredi.

Dans le boudoir aux nickels, Yvette s'inquiétait de cet entretien prolongé sur le palier. Au retour d'Antoine, elle le questionna sur l'objet de leur conversation et le mit en garde contre les manœuvres de Paul dont les intentions lui paraissaient évidentes. On ne pouvait douter qu'il voulût les séparer et du reste, il prenait à peine la précaution de s'en cacher. Elle laissa entendre qu'il avait toujours éprouvé pour elle un sentiment assez tendre et que cette inclination n'avait pas été étrangère à sa décision de rompre avec Flora. Antoine n'en voulut rien croire et son scepticisme irrita Yvette.

— Tout ce qu'il dit est pour toi parole d'évangile. Devant lui, tu oses à peine respirer. Je l'ai bien vu tout à l'heure quand il nous a expliqué pourquoi il se séparait de Flora. Au fond, tout ce qu'il disait à propos de cette rupture était dirigé contre nous et visait à nous séparer aussi. Moi, j'ai protesté, discuté, mais toi, au lieu de me soutenir, tu n'as même pas ouvert la bouche. On aurait pu croire que tu lui donnais raison et, après tout, c'est peut-être vrai. En tout cas, c'était très gênant pour moi. De quoi avais-je l'air, seule à défendre notre amour?

Antoine se sentit très petit garçon et, embarrassé d'une réponse, eut recours à un mensonge qui lui coûta.

— Je n'ai rien dit pour ne pas braquer Paul. C'est tout de même lui qui me fait gagner de l'argent.

— C'est vrai. Au fond, je crois que tu as bien fait. D'ailleurs, j'y ai pensé aussi et j'ai su m'arrêter à temps.

Ayant dit, Yvette fit à Antoine un sourire complice qui lui fut très désagréable. L'après-midi se passa pour lui à écrire une lettre au prisonnier, à jouer avec Chou et à échanger avec Yvette des propos souvent languissants qui manquaient d'entrain et de substance. Toutefois, il se sentait parfaitement heureux. Entre six et sept heures du soir, ils eurent la visite de Flora, belle personne fracassante de vingt-huit ans, d'un mètre soixante et onze, portant crinière acajou. Elle fondit en larmes dans les bras d'Yvette qui l'appela sa grande chérie. Après avoir donné au chagrin, elle ouvrit son vison, se campa au milieu de la pièce les poings sur les hanches et s'écria d'une voix virile :

— Tu te rends compte. Un petit môme que j'ai dessalé, que j'ai pris la peine d'éduquer et qui se permet d'être incorrect, qui prétend m'envoyer rebondir du jour au lendemain, soi-disant qu'il serait trop jeune pour avoir une femme. Trop jeune. Venir me dire ça en pleine poire à moi qui me suis donnée au sentiment, qui l'ai sorti pendant un an, qui l'ai cajolé, qui lui ai choisi ses cravates et toujours mon petit Paul par-ci, mon petit Paul par-là! Ah! je te jure, la jeunesse de maintenant, elle a une drôle de moralité. Quand je pense que pour lui, j'ai envoyé au bain mon industriel de Paimbœuf [1]. Un homme qui m'adorait comme la Sainte Vierge, le cœur sur la main et un vendredi par quinzaine, jamais plus. Je n'avais qu'à vouloir, il faisait ma situation. Mais moi, en amour, je suis totale. J'en avais pour Paul, c'était tout pour Paul. Toi, Yvette, tu peux le dire, je ne l'ai jamais trompé, ça je le jure sur la tête de ma

1. Pendant l'occupation, rentrant à Paimbœuf par le train, l'industriel paimblotin entra en conversation avec deux inconnus et, profitant de son anonymat, leur confia qu'il n'était nullement patriote. Les inconnus descendirent à Nantes et le saluèrent par son nom. Après la libération, l'industriel eut à répondre des paroles imprudentes prononcées dans le train. Ne pouvant pas les renier, il convint qu'il n'aimait pas la France. « L'amour de la patrie, dit-il, est un sentiment qui ne se commande pas. Moi, je ne l'ai jamais éprouvé. Je n'y peux rien. » L'accusateur prononça un réquisitoire éloquent et s'écria notamment : « Est-il possible qu'un individu normal, sain de corps et d'esprit, ne sente pas frémir en lui l'amour de la patrie? Non, ce n'est pas possible En prétendant n'être pas patriote, l'accusé a voulu bafouer la misère de nos prisonniers, insulter au sacrifice de nos morts... » L'avocat crut avoir beau jeu d'enfermer l'accusateur dans un syllogisme. L'industriel paimblotin ne fut d'ailleurs condamné qu'à cinq ans de prison et dix ans d'indignité nationale.

mère. Ce n'est pourtant pas ce qu'il me donnait. Je peux bien le dire maintenant. Paul me donnait vingt mille par mois. Et, je veux bien, nourrie aux deux repas chez son paterbroque. Vingt mille francs par mois, quand j'étais mannequin, je les gagnais rien qu'avec l'affure des toilettes. Mais l'argent, ce n'est pas ce qui m'intéressait. En amour, je ne voyais que l'amour. Cette petite vache-là, les soirs qu'il me laissait toute seule, je prenais sa photo dans mon lit, je m'endormais avec sa petite gueule sur mon sein et son nom entre les gencives. Et tout ça pour m'entendre dire qu'il se trouve trop jeune et qu'il veut préparer son bac. Est-ce que je l'en empêche? J'ai voulu le raisonner, rien à faire. C'est jeune, ça ne réfléchit pas. Tout de suite les mots durs et le cœur se brise. Mais pardon. J'existe. Je suis là quand même. Je lui montrerai qu'un petit greluchemane dans son genre, il n'a pas la loi avec moi. J'exigerai qu'il me demande pardon. Je veux le voir sangloter à mes pieds. Et quand il sera mûr, qu'il essayera de me filer le train, je lui dirai, mon petit, pour remettre ça, c'est midi.

Flora était dans un tel état d'exaltation qu'Antoine craignait pour son ami Paul. Il sentait venir le crime passionnel. Yvette, sans beaucoup de sincérité, s'efforçait de la consoler et soufflait sur le feu en laissant échapper des paroles malheureuses. Flora, dont le ressentiment semblait s'aggraver, en vint à proférer des menaces encore voilées, mais que précisaient suffisamment la violence du ton et la fébrilité des gestes. Avant le repas du soir, qu'elle accepta de prendre chez Yvette, Antoine descendit au café du coin téléphoner à Paul et l'informer du péril. Son ami n'étant pas rentré, il n'osa pas mettre le barman au courant et se reprocha sa timidité pendant tout le temps du dîner. Malgré son inquiétude, il observa que la délaissée ne prêtait aucune attention à sa présence et s'adressait uniquement à Yvette comme si, avec Chou, il eût compté pour un enfant. Une telle attitude lui était d'autant plus pénible qu'il la sentait involontaire. Les égards qu'elle lui témoignait ordinairement étaient d'ailleurs peu sincères. Ce gamin mal habillé, difficilement sortable, ne lui inspirait pas la moindre considération et c'était surtout pour s'assurer une supériorité sur Yvette qu'elle avait ménagé entre eux une rencontre propice. Yvette savait à peu près à quoi s'en tenir sur ce point. Aussi la douleur de Flora ne lui était-elle pas trop désagréable. Toutefois, le ton de ses propos commençait à l'inquiéter.

— En amour, disait Flora, je suis totale, mais je suis réciproque aussi. Paul a été ignoble avec moi. Il s'est conduit comme une petite salope, mais je lui réglerai son compte. Après tout, c'est lui qui l'aura voulu. Je le crèverai.

La colère l'essoufflait, son nez se pinçait, ses yeux avaient un éclat effrayant. Comme Yvette et Antoine s'efforçaient de l'apaiser, elle répéta :

— Je le crèverai.

Et, pour la première fois, s'avisant de la présence d'Antoine, elle se tourna vers lui et ajouta d'une voix sèche :

— Toi, ça va.

Il était assis à côté d'elle et, plus petit, devait lever la tête pour la regarder aux yeux. Elle le dominait non seulement par la taille, mais aussi par son âge et par son expérience de l'amour, qui lui paraissait insondable. Il avait encore contre lui les bagues, les bracelets, le vison, tout un appareil féminin luxueux qu'il méprisait d'habitude et qui, de près, lui imposait. A l'apostrophe de Flora, il ne sut que rougir et courber la tête comme un enfant pris en faute. Yvette elle-même en fut si gênée qu'elle lui refusa le réconfort d'un regard. Antoine essaya de se consoler au sourire que Chou lui adressait par-dessus la table, mais la consolation lui fut un peu amère. A la fin du repas, Flora devint silencieuse et tomba dans un état de rumination qui n'avait rien de rassurant. Après un échange de regards alarmés, Yvette alla coucher sa fille, et Antoine la rejoignit pour se concerter avec elle. Avant le dîner, Flora leur avait fait promettre de l'emmener au bar de la rue de La Rochefoucauld. Ils décidèrent de l'entraîner ailleurs. Pendant le conciliabule, Chou récita une prière que lui avait apprise une vieille demoiselle du premier étage. Elle pria Dieu de conserver la santé et l'espoir à son père prisonnier, d'accorder longue vie au Maréchal et de faire triompher la France et ses alliés. Yvette s'interrompit pour l'écouter, versa des larmes d'attendrissement et récita avec elle un Notre Père. Lorsqu'ils revinrent auprès de Flora, elle était devant la glace et se mettait du rouge aux lèvres. Yvette lui ayant fait part d'un changement survenu dans leurs projets de sortie, elle ne manifesta aucune contrariété et répondit simplement :

— Je ne veux pas vous empêcher de faire ce qui vous plaît, mais moi je vais à la *Pomme d'Adam.*

Elle avait maintenant le calme qui accompagne les décisions fatales. Puisque rien ne la dissuaderait de se rendre au bar de la *Pomme d'Adam,* mieux valait l'y accompagner et essayer de prévenir un drame. Dans la rue, elle eut un moment de détente et parut avoir oublié ses préoccupations. La pluie avait cessé et quelques étoiles apparaissaient entre les nuages. Dans l'obscurité, les deux femmes parlaient avec animation sans prendre garde à la présence d'Antoine. Tout en marchant à son bras, Yvette l'avait presque oublié, car elle s'exprimait avec une liberté qui le surprit et lui donna à penser. Sans doute la nuit laissait-elle aux deux amies l'illusion d'être seules. Parlant d'un couple de leur connaissance, elles exploraient leur vie privée dont elles commentaient les épisodes les plus scabreux avec des mots crus et des rires de délectation. De la part d'Yvette, ces vulgarités de langage et cette complaisance à des évocations brutales consternaient Antoine.

Aux abords de la rue de La Rochefoucauld, Flora devint taciturne et ne sortit de son mutisme que pour affirmer sa décision de régler son compte à Paul. Au restaurant de la *Pomme d'Adam* où l'on mangeait pour cinq cents francs sans le vin, les clients en étaient encore à l'entrecôte. M. Tiercelin père, qui revenait de faire la belote dans un café de la rue Fontaine, s'entretenait aimablement avec les habitués. C'était un homme de cinquante-cinq ans à cheveux blancs très bien peignés. Vêtu avec soin, M. Tiercelin avait des élégances d'homme du milieu. Ses familiers l'appelaient Tierce-au-Dix, allusivement à la maison de tolérance que sa sœur possédait dans le quartier et qui portait le numéro dix. Depuis cinq ans, il était collé avec une petite pensionnaire enlevée à sa sœur et très entendue à faire marcher le restaurant. En passant devant la table de deux officiers allemands qui dînaient avec des femmes, Tierce-au-Dix eut une discrète inclination de la tête et un sourire à peine dessiné qui s'épanouit largement lorsqu'ils eurent répondu à son salut. Antoine et ses deux compagnes, sans s'arrêter à la salle de restaurant, gagnèrent une porte latérale qui donnait sur un étroit vestibule auquel on accédait de la rue par une autre porte. Un escalier éclairé par une ampoule bleue conduisait au bar du sous-sol. Les clients étaient encore peu nombreux. Paul se tenait debout derrière le comptoir où il remplaçait le barman absent pour quelques instants. Il donna la main aux nouveaux venus sans marquer aucun étonnement de la présence de Flora.

— Qu'est-ce que je vous sers?

Yvette commanda trois fines et au moment de servir, Paul conseilla à Antoine de prendre plutôt une coupe de champagne. Par amour-propre et bien qu'il crût avoir une préférence pour le champagne, Antoine se fit servir une fine. Flora semblait avoir perdu de vue ses sinistres résolutions. Elle suivait tous les mouvements de Paul avec un regard de chien battu et, lorsqu'il eut versé dans son verre, elle le remercia d'une voix humble, avec un sourire obséquieux. Lui, cependant, la traitait sans affectation de froideur ou de méfiance et, à l'occasion, ne se dérobait pas à lui adresser la parole. Toutefois, comme elle ouvrait la bouche pour une tendre plainte, il l'arrêta net, d'un regard qui la fit se recroqueviller dans son vison.

Tout en surveillant l'attitude de Flora, qui lui paraissait de plus en plus rassurante, Antoine surprenait parfois les regards de certains clients, qui se fixaient sur lui avec une insistance étonnée. « Je sais ce qui les intrigue, pensait-il avec mélancolie et humeur : ils se demandent ce que peut foutre un gosse mal fringué sur un tabouret de bar entre deux femmes élégantes. » Sa jeunesse lui pesait de plus en plus. La glace du comptoir lui renvoyait l'image d'un visage de fille, lisse et tendre comme un fruit. Le cou était gracieux, d'un modèle féminin particulièrement désobligeant. Assis au bout du comptoir, un homme d'une trentaine d'années et portant monocle se mit à le dévisager d'un regard froid, peut-être hostile. Pour se donner une contenance, Antoine avala d'un trait son verre de fine dont il sentit bientôt les effets. Une chaleur lui monta à la tête et lui brouilla un moment les esprits. Entendant dire à Yvette que l'homme au monocle était un officier allemand en civil, il tourna vers lui un regard noyé et le monocle [1] eut un sourire de mépris indulgent.

Le barman ayant repris son poste, Paul abandonna le comptoir et emmena ses amis s'asseoir à une table. Antoine reprenait aplomb, mais il avait la tête lourde et ses yeux étaient rouges et gonflés. Cependant, le bar commençait à s'animer. La plupart des tables étaient occupées. Sauf quelques joueurs de belote, les clients presque tous des habitués, venaient chercher là une ambiance de club et de plaisir confidentiel ou plus simplement une occasion de couchage qui leur laissât l'illusion d'une aventure. A chaque instant, Yvette avait à répondre à des signes d'amitié. Comme elle rendait un sourire de politesse à un homme qui passait devant leur table, Paul l'avertit à mi-voix :

— C'est un type de la Gestapo. Et le type qui est

1. Le capitaine von Holberg écrivait un jour à sa sœur Gertrud : « Je ne connais pas de peuple au monde qui soit, comme le Français, porté au remords et à la rumination de la chose accomplie (suivaient une quarantaine de lignes expliquant cette tendance par le mélange des races, l'influence prépondérante de la femme, l'abus des Grecs, des Latins, etc.). S'il me fallait mettre en lumière l'abondante supériorité de notre peuple en opposant l'Allemand et le Français, je dirais du premier qu'il est voué à l'envie, qui le pousse en avant, et du second qu'il est voué au remords, qui le tire en arrière. » Pulvérisé par un obus de marine en juin 44 dans le Calvados.

avec lui au comptoir en est probablement aussi. En tout cas, pour l'autre, c'est sûr.

— Oui, je sais, on me l'a déjà dit. Pour ce que j'en veux faire, c'est d'ailleurs sans importance.

Antoine fut choqué par la réponse d'Yvette. Le patriotisme n'était à ses yeux qu'un résidu sentimental de l'histoire. Avant la défaite, son père lui avait souvent expliqué que les patries ne méritaient d'être considérées qu'à titre de réalités provisoires et avec la plus grande méfiance, car elles constituaient l'idéal milieu sanguin, plasmatique, irriguant et nourricier où prospéraient, croissaient, cancéraient les bourgeoisies parasitaires dont la française n'était pas la moins vorace. Mais depuis l'invasion, Michaud ne parlait plus des patries en général et, sans aller jusqu'à exalter la patrie française, il se dépensait passionnément à lamenter les misères du pays ou à maudire l'occupant, l'Allemagne nazie et même l'Allemagne tout court. Antoine ne prêtait pas grande attention à ces récriminations paternelles où il reconnaissait de vieilles habitudes de sentir et de penser qui cherchaient à s'adapter. Pourtant, le sentiment d'une grande détresse commune, et, en liaison, la conscience de vagues obligations morales avaient fini par s'éveiller en lui à son insú et l'attitude d'Yvette lui en apportait la révélation. Déjà, il avait éprouvé une certaine gêne à se trouver en même temps que des officiers allemands dans une atmosphère un peu confidentielle. L'heure et le lieu créaient entre eux une sorte de connivence qui l'avait gêné.

— A quoi penses-tu? lui demanda Paul. A notre voyage en forêt d'Othe? Il est l'heure de te décider.

Antoine eut un geste vague marquant plus d'indifférence que d'incertitude. Son regard restait attaché à la nuque des agents de la Gestapo qui étaient assis au comptoir. A son tour, il interrogea Paul, qui, de loin, venait d'échanger un salut avec des officiers en uniforme.

— Ça ne t'embête pas d'avoir des officiers allemands ici? On dirait qu'ils se trouvent comme en famille.

— S'il fallait que j'épluche la clientèle de mon père, je n'en finirais pas. Et d'ailleurs, je n'ai rien contre eux. De tous les hommes qui sont ici ce soir, ce sont probablement les plus propres, ceux que j'aimerais le mieux fréquenter. Je dirais même que j'aimerais assez leur ressembler. Note bien que je n'ai pas la prétention de formuler une opinion sur les Allemands ou sur l'hitlérisme. Je n'en ai pas et je n'ai guère envie de m'en faire une. Elle serait sûrement fausse.

Paul parlait sans aucune affectation. La sincérité était toujours son plus grand souci. Le milieu d'irréguliers dans lequel il avait grandi et, d'autre part, son humeur austère et indépendante l'avaient détaché de toute espèce de préjugés à l'égard des compartiments de l'humanité. Les catégories sociales, la fonction, l'appartenance à une race, à une nationalité ou à un groupe politique ne représentaient pour lui qu'un classement sommaire de l'espèce humaine et d'une ordonnance trop grossière pour mériter l'attention. Dans ces lotissements plus ou moins absurdes, il ne s'intéressait qu'aux individus, ne cherchait que des hommes et des caractères. Antoine, qui n'avait pas eu à lutter pour se libérer d'une ambiance pourrie, ne comprenait pas cette indifférence à certains aspects de la vie et se heurtait à l'incapacité de Paul à prolonger l'homme dans un milieu humain. Il lui reprochait parfois de manquer d'imagination. Ce soir, il le trouvait dépourvu de sensibilité, presque borné.

— Tes officiers allemands, au fond, tu ne les connais pas. Ce sont des silhouettes de catalogues, rien de plus.

— Je pourrais les connaître mieux, convint Paul, mais n'oublie pas que je suis bistrot. Quand un bistrot a servi à boire à un homme et qu'il l'a vu boire, il a déjà de quoi se faire une opinion. Il y a aussi la gueule du type, ça ne trompe pas tellement.

— Il faudrait les voir avec leurs hommes, avec leurs chefs ou alors chez eux, dans leurs familles.

— Si on te voyait dans ta famille, est-ce qu'on devinerait que tu es un gentil petit amant de cœur? Et si on me voyait dans la mienne, est-ce qu'on comprendrait...

Par pudeur, Paul laissa sa phrase en suspens, mais ses compagnons la complétaient sans peine, quoique diversement. Si on le voyait dans sa famille, pensa Antoine, est-ce qu'on comprendrait que Paul est un stoïcien? De son côté, Flora pensait : un cureton. Et Yvette, un emmerdeur.

— Oui ou non, est-ce que tu viens passer une semaine à la campagne?

— Je laisse Antoine entièrement libre, fit observer Yvette en fixant sur lui un regard aigu.

— Mais oui, pars donc, ça te fera du bien, dit Flora pour se faire bien voir de Paul.

— Ça ne te regarde pas, et Yvette non plus, d'ailleurs.

— J'ai bien réfléchi. Je préfère rester à Paris. Tu pars à quelle heure?

— Je ne pars pas, répondit Paul. Puisque tu restes, je n'ai aucune raison de m'en aller. Ce que j'en faisais, c'était pour toi.

— En somme, tu voulais l'éloigner de moi? demanda Yvette.

— Je crois vraiment que ça aurait mieux valu pour

lui, répondit Paul et il ajouta en regardant sa montre qui marquait dix heures dix : Je monte me coucher.

Comme ses amis protestaient, il expliqua qu'il avait pris la résolution de se coucher tous les soirs à dix heures. On ne le verrait plus traîner les bars et les boîtes de nuit du quartier. Il avait par-dessus la tête du champagne, du swing, des nuits étirées dans une gaieté sommeilleuse, des numéros de femmes à poil et des copains de boisson. « Je tire un trait, dit-il pour conclure.

— Pendant que j'y pense, Escartel est parti cet après-midi. Il rentre jeudi matin avec le ravitaillement. Si tout se passe bien, il sera chez le bougnat vers midi. D'ici là, si tu as besoin de quelque chose, tu n'as qu'à voir le saxo du *Myston's* et t'arranger avec lui.

— J'ai justement besoin de chocolat. Etienne m'en a réclamé hier.

— Autre chose, j'ai cinq mille cercueils à vendre. Si tu veux, je peux t'en passer la moitié.

— Des cercueils? franchement, je te dirai... Et, comme Yvette lui allongeait un coup de pied sous la table, Antoine se reprit : Je ne sais pas ce que ça peut donner.

— Le cercueil, il paraît que c'est très bon, dit Yvette.

— Evidemment, on sort un peu du chocolat et des délices de Madame, mais je crois que c'est à essayer.

— Mais comment veux-tu que je place des cercueils? demanda Antoine.

— Bien sûr, il ne s'agit pas de vendre au détail. C'est à liquider en bloc. Tu pourrais voir Ozurian et lui proposer un gros pourcentage. Même en lui laissant soixante et plus, ça peut être un coup de cent mille ou deux cent. Enfin, tu réfléchiras. Bonsoir.

Sourd au murmure suppliant de Fora, Paul se leva et alla

saluer son père qui jouait aux cartes au fond de la salle. M. Tiercelin le baisa au front et le loua de se coucher à une heure aussi raisonnable. Paul serra la main des autres joueurs et l'un d'eux déclara en le suivant du regard :

— Il est quand même drôle, ton moujingue. Quand on t'a connu à son âge comme moi je t'ai connu, on a du mal à s'y retrouver.

— Forcément, Paul est un intellectuel. Chez lui, c'est la tête qui travaille. Pense un peu, il prépare son bac. Je ne sais pas si tu te rends compte de ce que ça représente.

— Haï, dit un Corse, il a raison, le petit. Que si nous autres, l'instruction on l'avait eue, qu'est-ce qu'on n'aurait pas fait?

— A la tienne, répliqua le premier joueur. On serait capitaine de gendarmerie ou professeur de piano à courir le cacheton. Tu permets que je sois pas jaloux.

— Minute, dit M. Tiercelin, il faut distinguer. Paul est un intellectuel, mais il n'est pas fou. Il fait ses études au lycée, c'est d'accord, mais il a aussi l'éducation d'ici. Je n'ai jamais poussé Paul sur la fille, mais vous voyez comment il se tient avec les gonzesses. Vous pourriez en prendre de la graine. Jamais de baratin, jamais de gros mots non plus, mais l'autorité. L'homme est là.

De nombreux clients se levaient pour rentrer chez eux avant l'heure du couvre-feu. Vers onze heures moins le quart, ils n'étaient plus qu'une quinzaine, mais très décidés à rester, car ils commandaient des consommations et principalement du champagne. Antoine fit observer qu'il était temps de partir, à quoi Yvette répondit :

— Mais non, chéri. On ne va pas s'en aller quand il commence à y avoir de l'intimité.

Le mot intimité fit du bien à Antoine. Il regarda autour de lui avec un grand espoir et se mit en état de communier. En face de lui, sur la banquette, Flora sortait de léthargie et retrouvait des accents de colère tragique. Il l'entendait rogner contre Paul, de cette voix de basse qui l'avait effrayé tout à l'heure et qui l'agaçait maintenant. Yvette écoutait ses imprécations avec indifférence en promenant un regard lourd et langoureux sur les trois rangées de bouteilles alignées derrière le barman. Mais, dans le bar, il ne se passait rien. L'intimité promise ne démarrait pas.

— En amour, j'ai toujours été totale, je me suis toujours donnée sans compter, mais qu'est-ce qu'il se figure? Me traiter comme ça, un petit mec qui n'a pas vécu?

Antoine se mit à penser à sa famille, mais sans chaleur. Pierrette était déjà endormie. Frédéric, penché sur son cours d'algèbre, s'obstinait sur un théorème avec une patience bovine, puis levait les yeux au plafond, le visage illuminé par une évidence lentement pressentie. Le père, couché auprès de la malade, lisait des mémoires, des correspondances ou des études biographiques et faisait part de ses réflexions à sa femme qui lui donnait la réplique avec une patience affectueuse, sans s'intéresser au propos. Antoine se sentait très loin d'eux, déjà enfoncé dans une autre vie, dans une autre chaleur où il n'était pas sûr d'avoir chaud, mais dont il avait besoin. Cette séparation qui s'imposait à son esprit comme une chose accomplie l'effraya un peu. Il comprit ce que Paul redoutait pour lui : une espèce d'envoûtement, un abandon aux habitudes d'une petite existence tiède, insignifiante, qui le dispensait de réfléchir et de prévoir. Tout à l'heure, il s'était demandé ce qu'il pouvait bien faire, assis en face d'une coupe de champagne, dans cet établissement où il ne s'amusait pas. Maintenant, il savait que cette soirée avait pour lui une grande importance, car elle était exactement ce que seraient les autres soirées. Elle était à la fois le présent et l'avenir et comptait autant que le boudoir aux nickels, le divan, les fauteuils, Yvette, Chou, l'inspecteur, les relents du cabinet de toilette, les lettres au prisonnier, le peignoir bleu ou le rouleau de papier vécé. Pendant qu'il se livrait à ces constatations inutiles, l'atmosphère du bar s'était modifiée. On échangeait des propos d'une table à l'autre. Les attitudes étaient plus abandonnées, les conversations moins confidentielles. Flora était allée à une autre table exhaler sa rancœur. « Trop jeune! Non mais, vous vous rendez compte? A part ça, quand on se mettait dans les draps, il s'arrêtait plus... » Des gens venaient s'asseoir auprès d'Yvette, bavardaient familièrement avec elle, l'appelaient mon chou. Des hommes la tripotaient en copains, pour rire, ou émaillaient leurs propos de sous-entendus cochons qu'elle accueillait avec une feinte sévérité, l'œil rieur. Elle-même se levait à chaque instant pour faire un tour de bar et circulait de groupe en groupe. Un moment, au comptoir, elle fut en conversation avec l'officier allemand en civil qui portait monocle. Au retour de ces promenades, elle rapportait des potins qui étaient longuement commentés. Antoine, qui les jugeait inintéressants, ne les en écoutait pas moins avec une ferveur avide. Il se sentait déjà en communion avec tous les clients de la *Pomme d'Adam* et, sans perdre de vue le néant de leurs propos, sans cesser de s'ennuyer, il se délectait religieusement au mystère écœurant de cette intimité. Impatient d'y participer, il souffrait de n'y être pas un apport. Les clients ne faisaient pas attention à lui. On devait le prendre pour le jeune frère d'Yvette ou le fils de sa concierge. Les gens assis à sa table se montraient gentils avec lui, l'honoraient parfois d'un sourire ou d'un mot aimable, mais le tenaient en dehors de la conversation.

Au bout d'une heure, le bruit se répandit dans la salle qu'Antoine — le petit type assis au bout de la table, à côté de Roger, oui, tout jeune — était l'amant d'Yvette. On commença à le prendre en considération et à lui faire des avances. Un homme très important déclara qu'il était marrant et tout le monde en tomba d'accord. Les yeux noyés de bonheur, Antoine subit avec ravissement des propos et des confidences dénués d'intérêt. Son initiation était trop fraîche, il n'osait pas se mettre au diapason et brûlait d'être au lendemain soir pour s'assurer dans l'intimité de la *Pomme d'Adam* et avoir une part active à toute cette insignifiance.

Vers une heure du matin, Flora vint proposer à Yvette de finir la nuit avec un groupe de clients dans un bar de la rue de Bruxelles. L'un d'eux savait le secret de se faire ouvrir. Yvette faillit se laisser tenter, mais s'avisant de la fatigue qui paraissait au visage d'Antoine, jugea plus sage de rentrer. Elle craignait que Paul ne vînt à apprendre qu'ils s'étaient couchés à quatre heures du matin et ne l'en rendît responsable. Elle eut un joli sourire de regret à l'adresse des amis de Flora, parmi lesquels se trouvait l'officier allemand en civil. Avec son monocle rayé de lumière blanche, il avait un air si impérieux, qu'elle lui dédia un autre sourire où elle mit un peu plus de regret. Avant de partir, pendant que l'officier réglait le champagne, Flora s'en fut auprès de M. Tiercelin qui finissait sa partie de belote. Il écouta son murmure sans marquer d'impatience et l'éconduisit débonnairement.

— Voyons, fillette, tu ne te rends pas compte. Il y a

des choses qu'on ne demande pas à un père. Du moment que Paul en a marre, c'est que tu ne l'excites plus et qu'est-ce que moi, je peux y faire? Et d'ailleurs, je vais te dire une chose. Les femmes de Paul, je m'en occupe comme c'est mon devoir, mais juste ce qu'il faut et pas plus. Quand j'ai vu qu'il en avait pour toi, je me suis dit, voyons, est-ce qu'elle lui convient? J'ai causé de toi à ceux qui te connaissaient intimement. J'ai su que tu avais de l'hygiène, des manières, une bonne moralité et j'ai accordé mon visa. J'avais fait mon devoir. A partir de là, ce n'était plus mes oignons.

Au sortir du bar, dans la montée obscure de la rue Fontaine, Yvette et Antoine eurent l'impression de se retrouver après une séparation. Antoine se sentait même plus proche d'Yvette qu'il ne l'avait jamais été. Ces heures vides et bruyantes dont il ne restait plus que le souvenir d'un vague brouhaha, créaient entre eux comme un lien de complicité. Ils marchèrent serrés l'un contre l'autre, frileux et prudents. Paul les avait mis en garde contre le danger auquel s'exposait Antoine en rentrant après l'heure du couvre-feu. S'il était ramassé par une ronde, son père pouvait être averti. Ils parlaient presque à voix basse.

— C'était gentil ce soir au bar?

— C'était vraiment bien, répondit Antoine avec chaleur. Je n'y étais venu qu'à l'heure de l'apéritif et c'est très différent. Je n'aurais jamais pensé que ça pouvait être aussi épatant. Surtout après onze heures. Les gens sont si chics, si sympathiques et on se sent tellement entre soi. C'est formidable.

— Et encore, ce soir, c'était moins bien qu'en semaine. Le dimanche, c'est comme partout, il y a du mélange.

Tu sais, chéri, j'ai pensé à nous. Je me suis inquiétée de trouver un moyen pour que tu restes près de moi toujours, que tu ne rentres pas dans ta famille. Et j'ai trouvé.

— Tu sais bien que c'est impossible.

— Attends. Tu vas voir. Imagine que dans le courant de la semaine, un policier se présente chez toi et dise à ton père : « Votre fils Antoine est accusé de faire de l'espionnage pour les Anglais. On a les preuves. Dites-nous où il se cache. » Toi, le lendemain, tu fais passer un billet à ton père : « Ne t'inquiète pas, je suis en sûreté. »

— Mais le policier, ce serait un faux?

— Un faux ou un vrai. Pour cinq cents ou mille francs, on pourrait aussi bien avoir un vrai. N'est-ce pas que c'est simple comme truc?

Antoine ne répondit pas. Il pensait à ses parents, à sa mère encore alitée et se demandait comment elle supporterait le choc. Le truc du faux policier lui semblait du reste cousu de fil blanc et il ne croyait pas que ses parents s'y laisseraient prendre. Mais la perspective d'un retour au foyer paternel lui apparaissait comme une catastrophe, une rechute de maladie, qu'il n'aurait pas la force de supporter. Il considéra le chemin parcouru depuis la veille, un raccourci abrupt entre l'enfance et l'âge d'homme, une économie d'années moroses et interminables.

VIII

Michaud reçut le courrier des mains de la concierge et resta un moment dans le vestibule à parcourir les titres du journal. Venant de la chambre à coucher, la voix impatiente de sa femme demanda s'il y avait des lettres. Jetant un coup d'œil sur les enveloppes, il reconnut l'écriture d'Antoine.

— Une lettre d'Antoine, dit-il en entrant dans la chambre.

Il marcha lentement vers le lit, les yeux sur son journal, et fit une halte au milieu de la pièce. Hélène se contint pour ne pas le rappeler à l'ordre, mais ses mains se crispaient sur le drap. Agacée par la lenteur de son mari, elle était en outre choquée de ce qu'il témoignait plus de hâte à lire un journal qu'à s'informer de son fils. Enfin, Michaud lui remit les lettres et poursuivit sa lecture, comme si la Russie, le Pacifique et la Tripolitaine lui importaient davantage que ses enfants. La lettre d'Antoine faisait quatre pages. Il avait même poussé la coquetterie jusqu'à écrire en travers des marges.

— Le voyage s'est bien passé, dit Hélène, sauf qu'il est resté debout dans le couloir jusqu'à Montereau.

Michaud ne parut pas avoir entendu. Il était dans le désert de Libye, à Malte, à New York, en Nouvelle-Guinée, à Kalouga, au lac Ilmen. Bien qu'elle ne fût qu'à la moitié de sa lettre, Hélène prit le temps de faire mentalement quelques réflexions. Elles s'inspiraient toutes de la même évidence : pour Michaud, sa famille n'était qu'un paysage humain entre beaucoup d'autres, un coin charmant où son esprit se reposait de temps en temps après avoir embrassé les foules de Londres, de Moscou, de Pittsburg, de Nankin ou des bords du Gange. Il en allait de sa famille comme de sa patrie. Il les aimait bien, mais ne les avait jamais vus que de très loin, de Pernanbouc ou de Tombouctou. Peut-être que si la lune était d'un accès plus facile à son imagination, il s'y installerait à demeure pour contempler la Terre. A vrai dire, il y est déjà. Cher homme, incapable de haïr les Allemands, sinon par principe, et n'aimant sa femme et ses enfants que par une disposition du cœur, disposition générale, très large. Il n'est pas comme moi. J'aime ma famille parce que c'est la mienne. J'aime la France parce que c'est mon pays. Je hais les Allemands parce qu'ils sont chez moi. Le monde commence à partir de moi. Il y a mon mari, mes enfants, les hommes qui parlent comme mes enfants. Et ce qui est loin est loin. Hélène considéra une minute le couple Michaud et eut un sourire attendri. Il lui paraissait maintenant harmonieux et Michaud lui-même prenait une majesté vaporeuse. Arrêtant là ses réflexions, elle reprit la lecture de sa lettre, qui ne lui donna pas autant de satisfactions qu'elle en attendait.

— Antoine nous écrit une drôle de lettre. On dirait qu'il essaie de nous cacher une déception. Je me demande s'il n'a pas peur de s'ennuyer un peu.

— Une lettre aux parents, c'est toujours un pensum, fit observer Michaud en regardant Hélène par-dessus son journal. Je ne crois d'ailleurs pas que ce soit une bonne chose de faire écrire des lettres aux enfants. On ne peut que leur apprendre à mentir et à écrire pour ne rien dire, ce qui est encore plus grave. Ils écrivent déjà bien assez comme ça à l'école. Au fond, les gosses ne devraient pas apprendre à écrire avant l'âge de quinze ans. Ecrire, c'est se ratatiner, c'est user la vie et l'avenir. On écrit trop, on lit trop et on parle trop. Je m'en aperçois pour ma part. Le matin, on avale les journaux. Entre neuf heures du matin et six heures du soir, on écrit, on dicte des lettres, on téléphone, on lit des rapports. Le soir, on se fourre dans un livre. Et à chaque instant la radio. Londres, Alger, Moscou, New York, sans compter Paris. Il y a des jours où je suis déjà las de la victoire à venir. La parole arrive à faner l'espérance. Ce dont l'humanité aurait le plus besoin après la guerre, ce serait de silence et de recueillement. Si j'avais...

Michaud faillit dire : « Si j'avais des enfants » et s'interrompit, gêné. Il ne savait plus où il en était. Hélène venait d'ouvrir une autre enveloppe et paraissait contrariée et inquiète comme si elle apprenait une mauvaise nouvelle. A mesure qu'elle lisait, son visage vieillissait, prenait une teinte terreuse. Michaud, qui n'avait plus guère de curiosité pour sa femme, ne s'aperçut pas de ce changement de physionomie, fit encore une embardée vers l'Amérique, parla de la liberté et de la démocratie avec une certaine exaltation et, mélancolique tout à coup, se plaignit que les mots les plus chers à un homme de cœur n'eussent jamais qu'une signification actuelle. La porte d'entrée claqua bruyamment, annonçant le retour de

Pierrette qui s'était levée tôt pour aller au ravitaillement. Elle entra dans la chambre avec son panier à provisions et, dès la porte, entreprit le récit de ses tribulations. Ses joues étaient brillantes comme des pommes. Michaud sourit à sa jeunesse.

— Elle voulait passer avant moi, elle m'empoignait par l'étoffe de mon manteau, mais je me suis défendue. Toute la queue s'est mise à crier après elle.

Avisant les lettres éparses sur le drap, elle interrompit son récit et regarda sa mère.

— C'est Antoine, dit la mère en lui tendant la lettre. Il est bien arrivé.

Pierrette s'empourpra et prit la lettre en balbutiant. Elle était si troublée qu'il lui fallut un moment pour s'apercevoir qu'elle la tenait à l'envers. La veille, au début de l'après-midi, comme elle passait avec une amie sur le boulevard des Capucines, elle avait rencontré son frère Antoine. Il se promenait au bras d'une vieille femme de plus de vingt-cinq ans, d'ailleurs jolie et bien habillée. La vieille le regardait avec des yeux de poisson mort et il lui souriait d'un sourire gentil, plutôt bête. Serrés l'un contre l'autre, leurs deux têtes se touchant ou presque, ils faisaient tout de même rudement bien. Antoine était beau comme une actrice de cinéma. En voyant sa sœur à quelques pas devant lui, son visage était devenu sérieux, puis son regard s'était détourné et il avait repris son sourire et sa conversation. La vieille ne s'était aperçue de rien. Pierrette n'avait rien dit non plus à son amie, mais ses genoux s'étaient mis à trembler. Ce mensonge grandiose d'un voyage en Bourgogne l'avait bouleversée, presque épouvantée. Jusqu'alors, Antoine était à ses yeux un pilier essentiel de l'édifice familial. Mieux que père et mère, il

sentait les nécessités harmoniques de la vie du foyer sur laquelle il exerçait une action bienfaisante. Si Pierrette l'avait vu passer seul sur le boulevard, elle aurait pensé que le voyage en Bourgogne était un pieux mensonge conçu pour le bien de la famille. Mais l'évidence ne permettait aucun doute. Il s'agissait d'une histoire d'amour. Le plus bouleversant était qu'il fût avec une femme de vingt-cinq et peut-être trente ans. Au bras de cette vieille, il entrait dans le monde raisonnable où il échappait à sa sœur. A la maison, malgré toute sa sagesse, sa clairvoyance et son habileté, il faisait figure d'enfant et Pierrette s'était toujours sentie de plain-pied avec lui. C'était fini. Maintenant, il y avait une vieille dans sa vie, une vieille avec laquelle il devait habiter et coucher. Peut-être même qu'il commettait l'acte. A y bien réfléchir, ce qui n'était pas gai, il le commettait sûrement. L'acte, à la rigueur, Pierrette l'aurait admis sans révolte, sinon sans l'effroi, s'il s'était agi d'une amie de son âge, par exemple, une Clémence Robichon. Avec une vieille de vingt-sept ans, c'était obscène et dégoûtant. Cette sale vieille bonne femme, Pierrette la détestait de toutes ses forces. Elle aurait voulu cracher sur sa figure peinte...
« Nous avons fait ce matin, presque en arrivant, notre première promenade en forêt d'Othe. C'était vraiment très beau. Nous avions emmené avec nous le chien des fermiers, une brave bête à longs poils roux, qui s'appelle Finaud. Il sautait autour de nous en aboyant et, tout d'un coup, filait comme un trait à travers les arbres. J'aime beaucoup la forêt en cette saison, au contraire de Paul qui la préfère en été. Et quel air pur on y respire! Pendant cette promenade, j'ai beaucoup pensé à vous tous, et je regrettais particulièrement de n'avoir pas ma petite

Pierrette auprès de moi... » Ayant lu ce passage de la lettre d'Antoine, Pierrette fondit en larmes et ne put le cacher à ses parents. Questionnée :

— Je ne sais pas, répondit-elle. C'est en lisant la lettre d'Antoine.

Les parents se contentèrent de la réponse. Hélène n'accorda pas à cette crise de larmes l'attention qu'elle lui eût donnée dans un autre moment. Son esprit était occupé d'un souci plus grave. D'un geste lent qui impressionna Michaud, elle lui tendit un papier plié. C'était le bulletin trimestriel où étaient inscrites les notes et les places d'Antoine aux compositions du deuxième trimestre en même temps que les appréciations des professeurs. Le visage de Michaud se congestionna. Les notes et les appréciations étaient concordantes. Elles accusaient un fléchissement soudain dans le travail de l'élève Michaud Antoine. Le proviseur du lycée exprimait sa surprise d'une dégringolade inattendue qu'il qualifiait de chute verticale.

— Nom de Dieu! Mais qu'est-ce qui se passe? C'est incompréhensible. Voilà un gamin qui a toujours été dans les premiers de sa classe et tout d'un coup, c'est un élève à peine passable, presque un cancre. L'animal. Dire qu'il a trouvé le moyen de filer en vacances. Avec des notes pareilles. Pendant que ses frère et sœur restaient à Paris. Je lui en ficherai des vacances. Vingt-deuxième en histoire. Vingt-deuxième. Ma parole, il se fout du monde. Attends un peu, garnement. Je me charge de te visser, moi.

Jusqu'alors, les enfants de Michaud avaient tous été de très bons élèves sans qu'il eût besoin de les talonner et il affichait ordinairement une certaine indifférence à l'égard de leur zèle scolaire, se piquant même de juger des progrès accomplis par ses fils à des façons de sentir et de réagir plutôt qu'à une place de premier ou de quatrième. Il se complaisait à l'idée que la valeur de l'enseignement secondaire est conventionnelle, reconnue et imposée par une minorité en raison même de ce caractère conventionnel. Le clan bourgeois, en maintenant ainsi ses fils et recrues dans des disciplines désuètes, entendait les différencier du troupeau par une marque indélébile et les obliger à se retrancher. Michaud allait jusqu'à se reprocher d'avoir engagé ses enfants dans une voie pernicieuse et les mettait volontiers en garde contre leurs professeurs et les dangereux prestiges de la culture classique. La lecture du bulletin trimestriel d'Antoine n'entamait peut-être pas ses opinions sur l'enseignement secondaire, mais les reléguait incontestablement. Il se sentait tout d'un coup solidaire de Virgile.

— C'est incompréhensible, répétait-il. Qu'est-ce qui se passe?

— Voilà bien la question. Qu'est-ce qui se passe?

Mais pour Hélène, la question se posait tout autrement que pour Michaud.

— Il est peut-être en mauvaise santé, dit-elle. Depuis quelque temps, je lui trouve assez mauvaise mine.

— Ce n'est pas une raison. D'ailleurs, il ne s'est jamais plaint de quoi que ce soit.

— Antoine n'aime pas nous mettre dans l'inquiétude. Sans être précisément malade, il peut se sentir fatigué, déprimé. A son âge, c'est même une chose à surveiller.

Michaud refusait l'explication de sa femme. Il était encore trop irrité pour renoncer à la culpabilité d'Antoine et préférait croire à une intention délibérée. Hélène le laissa dire un moment et pria Pierrette d'aller à la cuisine mettre une casserole d'eau à bouillir. Lorsque la fillette eut quitté la pièce, elle se souleva un peu sur son oreiller et invita Michaud à s'asseoir auprès du lit, comme pour l'avertir de l'importance qu'elle attribuait à leur conversation.

— Je suis très inquiète, dit-elle. S'il ne s'agissait que de ces mauvaises notes, ce serait simplement ennuyeux, mais je pense surtout à la cause. Antoine a toujours été un bon élève. Plus doué et moins appliqué que Frédéric, il travaillait avec une facilité un peu désordonnée, sans doute parce qu'il était sûr de ses moyens ou pour tromper la monotonie des études. Ce qui est sûr, c'est qu'il savait s'intéresser à son travail et qu'il avait à cœur de réussir brillamment. Je me rappelle combien il avait été mortifié l'année dernière, de n'avoir eu qu'une place de huitième à une composition de thème latin.

— Il n'en est plus là, ricana Michaud. Vingt-deuxième en histoire!

— Justement. Pour qu'Antoine se soit tout d'un coup désintéressé de ses notes et qu'il ait perdu ce goût de l'étude que nous lui avons toujours connu, il a fallu une raison grave. Au fond, c'est toute une façon d'être qui a changé presque du jour au lendemain. A croire qu'un véritable bouleversement est survenu dans sa vie.

Hélène laissa passer un silence dans l'espoir que Michaud conclurait lui-même. Or Michaud ne concluait rien, sinon qu'il ne s'était pas montré suffisamment ferme avec son fils et qu'il avait peut-être eu tort de ne pas croire à la vertu des coups de pied dans les fesses.

— Tout à l'heure, poursuivit-elle, je me demandais s'il ne fallait pas chercher la cause de ce changement dans un état de fatigue, de dépression, d'anémie. Ce n'est pas ton avis et au fond, ce n'est pas le mien non plus. Je suis trop attentive à la santé des enfants pour n'avoir pas été avertie s'il était malade. Antoine ne tousse pas, il a bon appétit, il est de bonne humeur et s'il avait un peu mauvaise mine ces temps derniers, il n'y avait pas lieu de s'alarmer. Je lui ai vu assez souvent cette mine-là quand il veille un peu tard le soir pour préparer une composition ou lire dans son lit. Non, Antoine n'est certainement pas malade. Alors?

Nouveau silence. Alors? Michaud essayait de démêler ce qui avait pu se passer dans la tête de son fils et de mettre au point un processus intellectuel. Il était très tenté de voir dans cet accès de paresse d'un candidat au baccalauréat le résultat d'un raisonnement vicieux, une sorte de glissement sur une pente philosophique dont l'accès aurait dû être interdit par la crainte des taloches paternelles. Le silence se prolongeait. Michaud commençait à perdre de vue l'objet de la conversation. Méditant sur la valeur morale du coup de pied au cul, il en vint à considérer le recours à la force armée, le sens profond des guerres et les chances de la justice. Hélène comprit qu'il était égaré et se décida à rompre le silence.

— Tu vas peut-être penser que je dramatise ou que je me monte la tête, mais tant pis. Plus j'y réfléchis, plus je me persuade qu'il y a là-dessous une histoire de femme.

L'idée parut à Michaud si saugrenue qu'il partit d'un éclat de rire. A la réflexion, il la trouva moins absurde et même assez raisonnable.

— En principe, ce n'est pas impossible du tout. L'amour peut très bien provoquer un déséquilibre passager ou un état de langueur qui laisse le sujet inerte en face des difficultés d'une version latine. Et un enfant de seize ans peut très bien avoir un amour en tête. Tout de même, en ce qui concerne Antoine, je n'y crois pas. Chez un garçon de son âge, qui n'en a pas l'expérience, l'amour n'est encore qu'un rêve, une espèce d'enchantement vaporeux, sensuel bien sûr, mais n'ayant pas les racines douloureuses que laisse chez un homme le souvenir de la possession. L'amour, en général...

— Voyons, coupa Hélène, quand je dis histoire de femme, je ne parle pas d'un amour d'enfant. Je pense qu'Antoine aurait une maîtresse.

Michaud s'esclaffa encore un coup et, après examen, dut convenir que l'hypothèse était à considérer. Après tout, un garçon de seize ans subit la loi de l'espèce, tout comme un homme. Du moment que l'organe existe, la fonction, malgré les impératifs et les interdits, cherche à s'accomplir. Non, il n'était pas impossible qu'Antoine eût une maîtresse. Toutefois, Michaud n'envisageait là qu'une possibilité purement théorique et la question n'avançait pas. Hélène la replaça sur un terrain plus ferme. Epluchant l'attitude et la conduite d'Antoine pendant les deux derniers mois, elle y trouva de quoi étayer l'hypothèse femme. Au cours de ce deuxième trimestre, il avait pris de nouvelles habitudes, comme de rentrer à la maison à six ou sept heures au lieu de quatre heures et demie sous prétexte de travailler avec Tiercelin ou de visiter une exposition ou d'aller chercher une livre de beurre à soixante francs chez un camarade d'Aubervilliers. A la fin, le pli était pris, le retard admis sans explication.

— Nom de Dieu! s'écria Michaud avec un air important, si je l'avais su! Mais on ne me dit rien et quand le mal est fait, on s'étonne...

— Mais si, tu l'as su. Je t'en ai parlé à plusieurs reprises et tu as jugé que c'était sans importance.

Une fois même qu'il était rentré à huit heures, Antoine avait allégué une rafle sur le boulevard, suivie d'une vérification d'identité au commissariat et le père avait trouvé l'histoire assez suspecte. D'ailleurs, il y avait eu bien d'autres indices auxquels on ne s'était pas arrêté et qui prenait maintenant un sens très probable. Sans parler des yeux fiévreux, des yeux vagues, des yeux noyés, des yeux cernés, il y avait, par exemple, cette habitude d'Antoine de marquer la page des romans en cours de lecture avec une bretelle de soutien-gorge. Et cette manie d'écrire un peu partout, sur ses livres, sur ses cahiers, sur ses buvards et jusque dans la doublure de son manteau, les deux initiales Y. H. ou Y. G. je ne sais plus bien. En vérité, il fallait être aveugle pour n'avoir pas compris qu'Antoine avait une maîtresse.

— Qu'est-ce que tu comptes faire? demanda Hélène brusquement.

— Ce que je compte faire? je ne sais pas, moi. Que veux-tu que je fasse? Evidemment, on peut écrire à Antoine de rentrer, mais est-ce bien nécessaire? Après tout, j'aime autant le savoir à la campagne qu'à Paris. Tant qu'il est là-bas, on a au moins l'assurance qu'il n'est pas avec cette femme.

— Je n'en suis pas si sûre, prononça Hélène. Je croirais plutôt qu'il est parti avec elle et que son voyage n'avait pas d'autre raison que de l'accompagner.

— N'exagérons pas, dit Michaud. Il est tout de même chez les cousins de son camarade Tiercelin.

— Au fait, ces Tiercelin, on ne les connaît pas. On ne sait même pas s'ils existent. En tout cas, il me semble que la première chose à faire serait d'aller se renseigner auprès d'eux. Un restaurant rue de La Rochefoucauld, ce doit être facile à trouver. Ils nous aideront peut-être à savoir qui est cette femme.

— Si toutefois elle existe, réserva Michaud avec une pointe d'humeur. C'est bon, je passerai voir le père dans la journée. Ce matin, je n'aurai pas le temps. Je suis déjà diablement en retard. Il est presque neuf heures. Je file. Tu n'as besoin de rien?

Il était heureux de rompre un entretien dont la direction lui avait constamment échappé. Dans le vestibule, après avoir enfilé son pardessus, il tâta ses poches et n'y trouvant pas ses cigarettes, donna un coup de gueule. Est-ce que par hasard, ce grand cornichon de Frédéric m'aurait calotté mon paquet? Fonçant dans la chambre des garçons, il alla droit à la table de Frédéric et, d'un geste brusque, ouvrit le tiroir tout grand. Il était plein jusqu'au bord. Michaud, par acquit de conscience, dérangea quelques cahiers, mais sans résultat. Tout au fond du tiroir, un cahier rose, d'une épaisseur insolite et portant l'inscription « Analyse », attira vaguement son attention. Ayant soulevé la couverture du cahier, il mit à jour deux piles de feuillets imprimés et en prit un au hasard. « Ouvriers de France, disait le tract, le fascisme boche, instrument et allié du grand capital, a déclaré à la classe ouvrière une guerre sans merci... » Suivait un réquisitoire contre l'occupant et un appel au sabotage et à la résistance par tous les moyens. Pendant qu'il achevait sa lecture, Pierrette entra dans la pièce et, voyant le tract entre les mains de son père, leva sur lui un regard inquiet. Michaud comprit qu'elle était au courant et l'interrogea.

— Frédéric ne m'en a jamais parlé, dit Pierrette, mais

l'autre jour, en cherchant dans son tiroir, j'ai vu les tracts.

— Surtout, n'en parle pas à ta mère. Si elle venait à l'apprendre, elle ne vivrait plus.

Pierrette promit, et Michaud, après avoir replacé l'imprimé sur la pile, partit pour son bureau. Dans la rue, il eut d'abord un accès de mélancolie en songeant aux distances surgies tout à coup entre ses fils et lui. Les activités de Frédéric et les amours d'Antoine étaient également déroutantes. Sous le coup de cette double découverte, il se sentait étrangement dépaysé et dépossédé. Jusqu'alors il avait vécu avec l'illusion d'être un chef de famille, un père spirituel et il n'avait jamais été autre chose qu'un père nourricier dont les radotages berçaient les rêves de ses enfants. Celui-ci prenait une maîtresse, l'autre s'inscrivait au parti communiste et aucun d'eux n'était venu lui demander avis. Et pourquoi le lui auraient-ils demandé? Lui, Michaud, n'avait jamais rien dit qui pût les servir dans la voie où chacun d'eux s'était engagé. En politique, il avait surtout des regrets et des méfiances. Pour l'amour, il estimait qu'on lui accorde généralement une importance exagérée et qu'on en parle trop. Il essaya d'imaginer un tête-à-tête entre Antoine et sa maîtresse avec regards langoureux et propos passionnés, mais il ne parvenait pas à prêter la moindre éloquence à son cadet. Ce qui l'étonnait le plus était que Frédéric fût communiste. Il ne comprenait pas comment ce grand garçon, apparemment fermé à tout ce qui n'était pas les mathématiques et la nourriture, avait pu faire un choix qui l'engageât aussi profondément. A la maison, il ne s'intéressait ni à la guerre ni aux questions sociales et, si quelqu'un s'avisait de vouloir forcer son mutisme, il répondait avec une indifférence qui semblait bien n'être pas affectée. La misère d'autrui, la souffrance, l'injustice, le laissaient sans réaction. Il paraissait cuirassé contre l'émotion. Pourtant, il avait fallu que son cœur s'ouvrît à la parole d'un autre, son cœur et son esprit. Un homme qui n'était pas revêtu de l'autorité paternelle lui avait parlé d'injustice, exposé patiemment les raisons qui devaient l'amener au communisme. Et Frédéric s'était laissé toucher, il avait écouté les raisons de l'homme et, les ayant méditées, pesées, jugées, avait fini par y consentir. Michaud ne pouvait pas le croire. Je sais bien, pensait-il, qu'on ne connaît jamais ses enfants, mais tout de même. En gros, on est assez bien renseigné sur certaines façons de sentir, de comprendre et de réagir. Il y a, dans un caractère, des gros traits et des grandes lignes qui se laissent voir aussi bien que la forme d'un nez et c'est particulièrement vrai pour Frédéric. Quand je pense à lui, je me trouve en face d'un certain nombre d'évidences auxquelles je ne peux pas renoncer et qui ne s'accordent pas avec les démarches sentimentales et intellectuelles qui ont nécessité son adhésion. Est-il possible ou seulement vraisemblable qu'il se soit ému des malheurs de son pays? je dis non. Qu'il se soit épris d'une idée dont il aurait reconnu la solidité, la valeur constructive? je dis non encore. Je dis non à coup sûr. Et pourtant il a bien fallu.

A force d'y réfléchir, Michaud eut une illumination. Il revit sa découverte du matin, les deux piles de tracts rangés dans le tiroir sous la couverture « Analyse ». Frédéric n'était pas à la maison. Comme chaque jour depuis les vacances, il s'était levé à six heures et demie, sous prétexte d'une promenade à bicyclette. Evidemment, il était allé distribuer des tracts. Michaud l'imagina pédalant sur les chemins de la banlieue nord et mettant pied à terre à la porte d'une usine à l'heure où entraient les ouvriers. Dans le demi-jour du matin, Frédéric, parmi l'afflux des travailleurs, distribuait ses imprimés, songeant peut-être avec satisfaction à sa famille encore mal éveillée. A partir de cette vision, tout devint clair à Michaud. Son fils ne s'était pas emballé sur une idée ni laissé apitoyer par l'émouvante évocation des misères de l'occupation ou de l'injustice sociale. Il avait accepté une mission. Quelqu'un était venu lui proposer d'agir en homme, de sortir enfin de cette humiliante parenthèse où le tenaient enfermé sa famille et ses professeurs de la Sorbonne. Sans se consulter, Frédéric avait sauté sur l'occasion d'abréger une jeunesse ennuyée qui n'était même pas un apprentissage. Après en avoir été tenu à l'écart par des forces vigilantes, il rejoignait enfin la vie. De son côté, Antoine n'avait peut-être pas fait autre chose.

— Je viens de vieillir terriblement, disait Michaud quelques instants plus tard à son associé assis en face de lui. Sans parler de mon âge qui commence pourtant à compter, je m'aperçois que je reste en panne. Notre époque marche comme avec des bottes de sept lieues et moi, je ne bouge pas, je n'ai même jamais bougé. Je date de la Restauration. Et encore, quand je dis Restauration, je me flatte. Je suis peut-être tout simplement un vieux monsieur de notre époque.

Depuis deux jours, Lolivier était de très mauvais poil et peu disposé à recevoir des confidences. Il prononça l'air agressif :

— Méfie-toi. Tu es un raté, et le fait que tu es un raté te dispose particulièrement à ce genre de réflexions. Parce que tu as deux fils qui t'échappent plus ou moins, tu te tritures les méninges et tu t'ingénies à te persuader que tu es un vieux jeton. C'est idiot et ça ne prouve qu'une chose, c'est que tu es bien véritablement un raté.

— Mais je ne trouve pas du tout que je sois un raté. J'ai fait des études classiques, j'exerce une profession qui peut se dire libérale, je gagne sensiblement plus d'argent que si j'avais été professeur agrégé et j'élève bourgeoisement mes enfants puisque je les envoie au lycée. Où est le raté? je suis un bourgeois. Pas très brillant si tu veux, mais bourgeois.

— Il ne suffit pas d'avoir fait des études classiques et d'exercer une profession libérale pour être un bourgeois. Ce qui n'empêche pas que tu en sois un et de l'espèce la plus dégradée et emmerdante, celle qui a une conscience et pas de réflexes. Tu n'es pas le seul. Du reste, je m'en fous. Tu as vu l'avocat, hier?

— Je te demande pardon, mais il suffit d'avoir une solide instruction pour être un bourgeois à vie, je dirai même un capitaliste. En fait, un garçon qui étudie jusqu'à vingt ou vingt-cinq ans est un petit monsieur qui capitalise sa jeunesse au lieu d'en faire un usage normal, immédiat. Pour s'assurer des agréments dans son âge mûr, il accepte d'être relégué pendant dix années en marge de la vie et d'apprendre des mots de passe du genre « Video meliora proboque » qui sont les premiers échelons de la Légion d'honneur. Si tu ne le savais pas, mes deux zèbres ont trouvé moyen de l'apprendre et d'agir en conséquence. Ils ont médité l'exemple de leur pauvre vieux père qui a sacrifié dix ans de jeunesse pour apprendre à réfléchir alors que ça ne servait déjà à rien, et ils ont compris que pour avancer, pour être dans le courant, il fallait agir avant de penser. Les études...

— Tu débloques, coupa Lolivier, et tu sais que tu débloques. La vérité toute simple et tu la connais aussi bien que moi, c'est qu'il faut des ingénieurs pour faire marcher les usines, des architectes pour bâtir des maisons, des officiers d'artillerie pour les foutre en l'air et des professeurs pour leur apprendre à les foutre en l'air.

— Est-ce que je dis le contraire? Bien sûr qu'il faut des architectes et des officiers d'artillerie. Mais est-ce qu'ils ne devraient pas savoir leur métier à l'âge de quinze ou seize ans au lieu de perdre des années bêtement à potasser Virgile, Racine, Platon, et un tas d'empaillés qui n'ont aucun lien avec notre époque. Non, aucun.

—Ta gueule, vieil humaniste amer. Ton cœur se serre, ta voix se brise en prononçant ces affreux blasphèmes. Faut pas te mélancoliquer comme ça, voyons.

— Je parle sérieusement. Je suis dans une heure de sincérité lucide. J'essaie de comprendre mes gosses.

— Alors? ricana Lolivier, te voilà satisfait? Tu les comprends et tu les approuves. Toi, l'idéo-social mou, tu es fier d'avoir un fils qui risque sa peau pour une cause qu'au fond de toi-même tu détestes autant que le nazisme et tu ne feras rien pour l'en empêcher.

— Je respecte son choix, et je suis fier de lui, parfaitement.

— Et l'autre, le benjamin, qui s'est trotté avec une poule; j'espère que tu respectes son choix aussi? L'amour, c'est comme l'héroïsme, ça mérite le respect.

— Tu es bête, dit Michaud, tu débites des âneries.

— C'est vrai, convint Lolivier, et je suis d'autant moins excusable que je n'en pense pas un mot. Mais aussi, pourquoi te plains-tu? Si mon fils distribuait des tracts à la porte des usines, je serais aux anges, je me roulerais à ses pieds. Sûrement que je serais communiste, moi aussi, et pas un tiède, tu peux me croire. Je n'aurai pas eu cette chance-là.

— Toujours pas de nouvelles?

Lolivier ne parut pas avoir entendu la question. En tout cas, la sonnerie du téléphone le dispensa d'y répondre. Il décrocha l'appareil, puis le passa à son associé.

— C'est pour toi.

— Allô!... oui, c'est moi... Comment, il est mort?... Qu'est-ce qui s'est passé?... Oui, naturellement... Vous avez bien fait... Au revoir.

Michaud paraissait très contrarié. Après avoir posé l'appareil, il resta un moment silencieux et concentré, la tête entre les poings.

— C'est la concierge de la rue de Prony, dit-il d'une voix lugubre. Le colonel de Monboquin est mort ce matin vers cinq heures. Je ne sais pas si tu te rappelles. Sa femme voulait l'empêcher d'aller à l'Institut allemand écouter une conférence sur l'archéologie. J'étais là, j'ai réussi à le persuader de ne pas s'y rendre. Convaincu et dégoûté, il est allé se coucher et depuis, il ne s'est pas relevé. Ce matin, on l'a trouvé mort dans son lit. Et voilà. Il est mort.

Les coudes et les pectoraux sur la table, Michaud baissait la tête, l'air accablé. Lolivier, en le regardant, fut pris d'un fou rire gargouillant qui le faisait sauter sur son siège. L'eau lui coulait par les yeux et par le nez et la peau de son crâne était violette. Michaud, ébahi, le considérait sévèrement, mais le fou rire ne tarda pas à le gagner. A demi vautrés sur le bureau, toute la tripe secouée, les deux associés s'étranglaient de rire, suffoquaient, pleuraient. Parfois, l'un ou l'autre essayait de parler, mais les paroles lui restaient dans la gorge et lorsqu'ils commençaient à se calmer, un échange de regards suffisait à déclencher un nouveau fou rire.

— C'est idiot, parvint à dire Michaud. Il n'y a pas de quoi rire du tout.

— Non, mais c'est si drôle de penser que tu l'as tué.

— Qu'est-ce que tu bafouilles? Je n'ai tué personne.

— Comment? Ce n'est pas pour ça que tu ris? Moi, c'est pour ça. Je te vois si bien prononçant les paroles qui tuent et lui, le pauvre colonel... non, je sens que je vais repartir. Entre nous, vieux, il faut quand même que tu aies un sacré coin de vacherie. Quand je pense à ce malheureux qui se faisait une joie d'aller à sa conférence. Au fait, qu'est-ce que tu avais bien pu lui raconter?

— J'ai dit ce qu'auraient dit cent mille personnes à ma place. Qu'en présence de certaines situations, il faut adopter certaine attitude et lui rester fidèle. C'est une question de dignité.

— Mais toi, personnellement, tu t'en fous? Il y a deux ans, c'était juste avant mai 1940, tu me disais que l'honneur de la France, tu t'en torchais la raie des fesses.

— Oui, je l'ai dit et je le redirai probablement après la guerre. Pour l'instant, je vénère ma patrie et je suis férocement jaloux de son honneur. Ça te chiffonne?

— Mais non, répondit Lolivier. Tu papillonnes avec tant de grâce que tu forces mon admiration. Pour ce qui est de l'honneur de la France, je pense que le colonel de Monboquin y voyait un peu plus clair que toi. Lui, il avait toujours été un fervent de la patrie, un dévot, alors que pour toi, il s'agit en somme d'une simple toquade.

— Toquade n'est vraiment pas le mot. Mon patriotisme est profond, senti et réfléchi. Depuis la défaite, il se trouve que mon pays est devenu un lieu inspiré où s'affrontent...

— Je t'en prie, pas de couplet. Veux-tu que je te dise? Tu es un vieux lâche. Tu as passé ta vie à rêvasser, à critiquer, à brasser des idées sans pouvoir les ajuster les unes aux autres ni leur fixer un contour. Tu n'as pas su être communiste, tu n'as même pas su rester au parti S.F.I.O. Dans le domaine des réalités, tu ne voyais que les trous et les fondrières. A vieillir ainsi entre des trous et des nuages, tu finissais par te prendre en dégoût. Tu étais las de vaguer à la poursuite de rien, et de plus en plus incapable de faire un choix positif. Heureusement, la défaite est arrivée pour te permettre de reléguer ton vide et d'oublier ton impuissance. Tu es patriote, d'accord avec ta conscience et avec les gens de cœur. Tu respires. Tu retrouves le sol sous tes pieds. L'occupation, l'intelligence humiliée, les souffrances du pays, la dignité, tu sais enfin de quoi tu parles. Tout d'un coup, tu es sûr de toi. Tu peux même contrer un vieux birbe et l'envoyer coucher dans son cercueil pour lui montrer ce que c'est que l'archéologie bien française. Tu as raison. Profites-en. C'est un coup de jeunesse qui passe. Moi aussi, je suis patriote, mais comme ça, bêtement, physiquement. La patrie, la famille, le cousin Jules, les vieux copains et les souvenirs d'enfance, tout ça fait partie d'un même paysage sentimental. Et la défaite, la maladie du cousin Jules, la mort d'un vieux copain, ce sont de ces malheurs qui arrivent. J'en ai de la peine, j'y pense, mais je suis toujours Etienne Lolivier et je continue à croire que deux et deux font quatre.

— Heureux caractère, ricana Michaud. Un million et demi de prisonniers, la France occupée, le cousin Jules, l'Europe hitlérienne.

— Maîtrise ta douleur, vieux singe. Bien sûr que l'Europe hitlérienne, c'est une sacrée catastrophe. A part ça, j'habite rue Ramey. Sauf les instants où je peux jouir de ta conversation, je vis sous le tunnel de mes soucis et de mes emmerdements. Si tu avais chez toi un enfer comme le mien, tu commencerais peut-être à comprendre. J'ai beau me dire que le monde est en feu, la vie, pour moi, c'est d'abord cette besace de boue et de malheur que je traîne dans la nuit de mon tunnel. La France envahie, les discours d'Hitler, de Churchill, la guerre en Russie, ça existe, mais la vie, la vraie, celle qu'on vit, c'est la bagarre avec la mégère, les coups de gueule, l'angoisse, la méfiance, les crachats du garçon qui vous arrivent en pleine gueule, c'est rentrer chez soi pour apprendre que son fils a fourgué les couverts, c'est penser à sa fille maquée à Toulon avec un nervi et faire attention de ne pas se couper devant les amis parce qu'on leur a dit qu'elle finit ses études à Lyon, oui mon vieux, une putain, et le dimanche tantôt, pour se remettre, filer à Montreuil faire une visite à ses auteurs, la vieille mère gâteuse, le vieux père tordu et hargneux qui se plaint qu'on ne fait pas assez pour lui, qui veut toujours un billet de plus. Et voilà la vie. Roosevelt peut sourire au ciel de nos destinées et Hitler occuper Tombouctou, j'ai ma petite vie bien à moi et qui ne me laisse pas le temps de rêver.

Lolivier eut un moment de faiblesse et, cachant sa tête dans ses mains, piqua du nez sur la table. Il se releva aussitôt et dit en souriant :

— Je suis un imbécile et un ingrat. J'ai la chance

de t'avoir là, devant moi, matin et soir, et je me plains. Tu n'imagines pas tout ce que je te dois. Sans toi, je ne sais pas comment j'aurais pu tirer ces dix dernières années. Mais tu es là, tu as toujours quelque chose à me donner, quelque chose qui élargit le cœur et la tête. J'en ai souvent honte, moi qui n'ai rien, qui ne suis qu'un auverpin ergoteur, un petit esprit rogneux, un raisonneur prétentieux. Mais si, mon vieux, mais si, c'est la vérité. Toi, tu vois tout plus grand et plus beau que nature, tu trouves toujours un pan de ciel pour étoffer la réalité, et moi, comme si j'en étais jaloux, je suis toujours à te harceler, à te chicaner sur ton ciel. Tout à l'heure, j'ai été odieux. Ne dis pas non. Et pourtant, quelle place tu as, je ne dis pas seulement dans ma vie, mais en moi-même. Quand je suis loin de toi, je me dis souvent : qu'est-ce que ferait Michaud? Qu'est-ce que penserait Michaud? Je peux dire que tu es presque devenu ma conscience.

Michaud, très ému, protestait qu'il ne méritait pas tant de confiance, qu'il était, comme tout le monde, capable de parti pris, d'injustice, de faiblesse, d'aveuglement. Toutefois, il admettait en lui-même que cette confiance n'était pas mal placée et il pensait, avec tristesse, que malgré sa profonde amitié pour Lolivier, celui-ci ne deviendrait jamais sa conscience. C'était une pensée gênante comme une trahison. Elle tendait à établir entre eux une distinction de qualité et à son propre avantage. Le plus gênant était peut-être que Lolivier fût conscient de cette différence de qualité et heureux de l'accepter.

— On a souvent avantage à voir les choses avec les yeux d'un autre, dit Michaud.

— Ça ne signifie pas que cet autre soit particulièrement clairvoyant. Entrez!

Eusèbe venait avertir que Mme Lebon demandait à voir M. Michaud. Celui-ci donna l'ordre de l'introduire. Lolivier se remit au travail. Lorsqu'un visiteur se présentait à la Société de Gérance Immobilière, c'était toujours Michaud qui recevait, tandis que son associé faisait figure de secrétaire. L'usage s'était ainsi établi sans qu'on y eût pensé.

Lina vint à Michaud d'un élan qui le surprit presque autant que son accoutrement. Son corps flottait dans une grosse veste de chasse ayant appartenu à Warschau et qui lui tombait aux jarrets. Dans cette étoffe rude et épaisse, les épaules trop larges gardaient une ligne rigide et faisaient à cette petite femme une étonnante carrure d'homme. Elle avait retroussé l'une des manches pour avoir l'usage de sa main droite, tandis que la gauche restait enfouie. Avec son foulard de laine bleue, façonné en turban qui l'emboîtait jusqu'aux sourcils et ne laissait passer que le bout de son visage, elle apparut à Michaud comme une fine paysanne d'opérette.

— Pierre, excusez-moi que je viens sans prévenir. J'ai eu peur si je vous téléphone, vous me dites que je viens demain ou plus tard. Et je voulais tant vous voir tout de suite.

— Qu'est-ce qui ne va pas?

— Je sais pas le dire. Et pourtant, je sens tout est mal pour moi. Pierre, j'ai peur.

— Vous n'avez aucune raison d'avoir peur. Voyons, vous n'avez rien appris qui puisse vous faire craindre des ennuis?

— Non, mais je sens il y a quelque chose dans la maison. J'ai peur des concierges. Ils me parlent plus, ils me font la tête, je suis si aimable avec eux, et eux, ils étaient aussi avec moi. Maintenant, ils me regardent et je vois dans leurs yeux je suis juive. Dans la maison, il y a aussi colonel, vous savez peut-être il est mort ce matin. Depuis trois jours, il était pour mourir et moi, je plaignais. Peut-être j'étais un peu contente aussi. Colonels, ils sont pas une bonne chose pour Juifs. Mais je plaignais. Sa femme je rencontre avant-hier deux fois, dans la rue, vous savez, grande femme avec une figure. Toujours d'habitude je saluais. Toujours elle répondait avec sourire un peu haut. Avant-hier, une fois elle regarde ailleurs, une fois elle regarde sur moi avec les yeux si méchants, j'ai cru elle va m'insulter. Et hier dans l'escalier, elle m'a piqué le derrière avec le parapluie. Je crois exprès.

— Lina, vous êtes en train de vous monter la tête pour rien.

— La nuit, je me réveille et autour de moi c'est la forêt en Pologne. Des milliers d'arbres je vois et à chaque arbre un Juif est pendu. Dieu vengera, mais j'ai peur. Et dans l'escalier, j'entends le bruit des bottes et des fusils. Alors, mon cœur s'arrête. Je n'ose pas bouger pour ouvrir la lumière et j'ai peur de mourir de peur dans le noir.

— C'est absurde, vous avez des papiers en règle. Ni la Gestapo ni les services français ne connaissent votre existence. Vous n'avez absolument rien à craindre de personne.

Michaud prit son associé à témoin que Mme Lebon ne courait aucun risque, mais Lolivier se montra beaucoup moins affirmatif. Il enveloppa la visiteuse d'un regard peu bienveillant et entreprit l'examen de son cas. Il en parlait avec une affectation d'indifférence presque blessante.

— En principe, Mme Lebon ne risque rien puisqu'elle est aryenne par ses papiers. En réalité, les locataires et les concierges de la rue de Prony savent très bien que vous êtes chez M. Warschau pour sauver ses meubles. Ils n'ignorent pas non plus que vous êtes apparentée à sa famille. Si quelqu'un est mal disposé à votre égard, il peut très bien vous faire des ennuis. Pour les concierges, je pense que l'originalité de votre toilette, entre autres choses, a pu les contrarier. Il est certain qu'elle n'est pas dans le ton de la maison.

— Ma toilette? s'étonna Lina. Mais qu'est-ce que les concierges lui trouvent?

— Je ne sais pas. Il me semble qu'elle est suffisamment remarquable pour vous distinguer des autres locataires. C'est un détail, mais qui, ajouté à d'autres, a son importance. Dans votre situation, je ne crois pas que vous ayez intérêt à choquer vos voisins. Si vous voulez passer pour une bonne bourgeoise de la plaine Monceau, il vaut mieux en avoir l'extérieur et le maintien.

— Bien sûr, dit Michaud, mais ce sont des considérations d'ordre tout à fait secondaire. Tu compliques inutilement un problème très simple. Madame Lebon...

— Pierre, vous êtes un enfant, interrompit Lina avec une légère impatience. Laissez dire M. Lolivier. Je vous prie, cher monsieur.

— L'autre jour, quand le concierge est venu vous présenter la quittance, vous n'avez pas payé le dernier terme?

— Non, mais l'arriéré j'avais payé à Michaud, il y a quinze jours. L'arriéré était si lourd et moi, j'ai payé pour...

— C'est de l'histoire ancienne, coupa Lolivier. Au fait, vous avez réglé M. Michaud, mais vous n'avez rien donné au concierge? En somme, vous ne lui donnez jamais rien?

— Ce n'est pas une affaire pour moi. Warschau, il doit donner, mais moi, je suis rien.

— Vous êtes locataire. C'est de vous que le concierge est en droit d'attendre des pourboires et pas de Warschau qui est en Algérie ou en Angleterre. C'est votre affaire de ne pas lui donner un sou, mais ne venez pas vous plaindre s'il vous a dans le nez. Un jour que les policiers viendront dans sa loge pour une raison ou pour une autre, il laissera échapper une parole de trop sur l'appartement de Warschau et vous ne l'aurez pas volé.

Michaud voulut intervenir pour atténuer l'effet qu'avaient pu produire sur Lina les paroles de son associé. Dès les premiers mots, elle vira d'un quart dans son fauteuil de façon à ne plus le voir et n'en eut que pour Lolivier. De temps à autre, elle accordait encore un regard à Michaud par-dessus l'épaule et semblait être surprise qu'il prît part à la conversation. A plusieurs reprises, il essaya de placer une phrase apaisante qui la rassurât, mais elle parvint à le réduire définitivement au silence.

— Vous savez pas, Pierre, vous êtes un enfant. Monsieur Lolivier vous dites les choses si utiles. Vous croyez que je dois faire quoi avec le concierge?

— Lui donner de l'argent et sans attendre. En lui allongeant deux mille francs, vous arrangerez bien des choses.

— Deux mille francs! Vous vous rendez pas compte. C'est une somme très grande. Deux mille francs, je ne peux pas trouver, moi.

— Mais si, vous les avez.

— Bon, je donne. J'espère ils me font plus la gueule. Mais je pense encore, il y a la toilette. Si je veux m'habiller comme les dames de la maison, robe, manteau, souliers, le chapeau, tout il me coûte l'œil de la tête. Et d'abord, où je trouve?

— Le marché noir n'est pas fait pour les chiens. Quand on habite un grand appartement rue de Prony, on est d'ailleurs moralement obligé d'acheter au marché noir. En vous donnant la peine de marchander un peu, je pense qu'avec une vingtaine de mille francs vous vous rhabillerez des pieds à la tête et vous n'aurez rien à envier à vos voisines.

— Non, je donne pas. Tant pis pour ma toilette. Et vingt mille francs je n'ai pas. Même la moitié je n'ai pas, même le quart.

— Si, vous avez vingt mille francs et sûrement plus.

— Mais je donne pas. Pourtant, vous avez raison, surtout que de Warschau la femme et la fille étaient toujours si bien habillées, avec bijoux chers. Et aussi les femmes en visite chez Warschau. Elsa Lang, belle-sœur de Renée Warschau, jamais je n'ai vu plus élégante. Robes Paquin, diamants, j'avais honte pour elle.

— Dans notre immeuble de la rue Caulaincourt, risqua Michaud, on vient d'arrêter une famille Lang. Emile Lang. Sa femme a été emmenée avec lui.

— Je connais, dit Lina avec une moue de mépris. Cons et emmerdeurs tous les deux. Oh! je plains. Mais ils étaient tellement parisiens que je peux pas avoir de peine. Ils méprisaient les vrais Juifs, parce que eux ils n'étaient plus des Juifs, mais seulement Parisiens et Français. Et maintenant, c'est Dieu qui punit son peuple à cause d'Emile Lang et des autres qui ont tourné le dos. Juifs de Paris, j'ai pas de peine, ils ont mérité, mais Juifs de Pologne, ils sont pauvres agneaux purs pendus aux arbres, torturés, mes sœurs violées par les soldats, et je pleure le sang. Vous avez raison, je donne deux mille francs au concierge et j'achète souliers robe, chapeau.

Je veux prendre toutes les précautions pour être là le jour de vengeance que Dieu reviendra pour nous. Mais quand j'aurai donné l'argent au concierge, je voudrais vous venez rue de Prony lui parler pour moi.

— Si vous croyez que c'est vraiment utile, j'irai lui parler, dit Michaud.

— Non, pas vous, Pierre, je voudrais que M. Lolivier il vient.

Mortifié, Michaud se plongea dans son travail et se désintéressa de la conversation. Il constatait avec amertume que sa sympathie et sa prévenance avaient pour Lina moins de prix que les dures paroles de Lolivier et lui apportaient aussi moins de réconfort. En même temps, il s'étonnait d'être un aussi piètre psychologue. Jamais il n'aurait pu supposer que le ton et le langage de son associé recevraient un accueil aussi attentif. Evidemment, pensait-il, je n'ai rien compris de cette petite bonne femme. Elle a dû se foutre de moi. Cependant, Lina essayait d'obtenir de Lolivier qu'il allât parler au concierge de la rue de Prony, à quoi il se refusa catégoriquement. Comme elle insistait, il regarda sa montre et déclara sèchement qu'il n'avait plus de temps à perdre. Elle lui tendit la main en le remerciant avec chaleur. Michaud, encore ulcéré, se contenta d'une poignée de main furtive et se remit au travail. Lina parut ne prêter aucune attention à ce changement d'attitude. Ce fut Lolivier qui la reconduisit à la porte d'entrée. Lorsqu'il revint, son associé, la face empourprée, tonnait contre la secrétaire qui venait de lui remettre trois feuillets dactylographiés. Solange se tenait debout auprès de lui et, cambrée, le front haut, essuyait l'avalanche avec un air indulgent et dégoûté.

— C'est tout de même enquiquinant! clamait Michaud.

Les dactylos d'aujourd'hui ne sont pas fichues de taper trois lignes sans flanquer partout des points d'exclamation et des points de suspension. Voilà un mémoire pour le contrôleur des contributions directes. Si je voulais le lire en tenant compte de votre ponctuation, il faudrait que je prenne tantôt le ton d'un acteur de mélodrame, tantôt celui d'un élégiaque en pâmoison. Eh bien, moi, j'en ai plein le dos. Pâmez-vous dans les bras de votre amant et faites-lui la grande scène du deux, c'est votre droit. Ici, on ne connaît que des locataires, des propriétaires et des huissiers. Mettez-vous bien dans la tête que vous n'êtes pas à la S.G.I. pour chercher le frisson. Qu'est-ce qu'on vous a appris à l'école? Vous n'en savez même plus rien. On vous a appris qu'en français, une phrase a un commencement, un milieu et une fin et qu'au bout de la fin, on met un point. On vous a appris que pour écrire : « La marge de nos bénéfices imposables s'en trouve notablement réduite », il n'y a pas besoin d'érection invocatoire ni de flatulences poético-suspensives. Le contrôleur des Directes se fout de vos états d'âme. Du moins, je l'espère, car ce n'est pas prouvé non plus. Bientôt, on collera des points de suspension au bout des chiffres. La littérature est partout, elle ronge tout. Vous me regardez comme si je parlais chinois, mais c'est avec des points de suspension qu'un pays perd une guerre et que des cornichons nous enfoncent dans la défaite. Ça vous épate et c'est pourtant la vérité nue avec un seul point au bout. Quand l'énergie se dégrade, elle prend le biais de la littérature et du trémolo. Et la poésie s'étire en points de suspension. Et tout claque, tout chavire, tout se mélange et finit par fondre en merde.

Michaud prit encore le temps d'incriminer la radio,

la presse et le cinéma. Enfin, après une bordée de jurons qui empruntaient indéniablement le mode exclamatif, il congédia Solange avec l'ordre de recopier le mémoire au contrôleur. Lolivier avait regagné sa place et travaillait sans lever le nez. Un silence laborieux s'établit dans le bureau. Au bout d'une demi-heure, Michaud se leva discrètement et passa dans l'autre pièce dicter une lettre à la secrétaire. Il vit Eusèbe qui sanglotait à sa table et il n'osa pas faire de questions. Sans doute Solange avait-elle imité son patron et passé sa mauvaise humeur sur le gosse. Michaud, mécontent de lui-même, se sentait gêné. Elle en profita pour lui demander de l'augmentation et il promit d'examiner sa demande avec son associé.

— Je vais lui en foutre, dit Lolivier un peu plus tard.

Il rangeait son stylo dans sa poche et se disposait à partir. Il voulait passer avant midi à l'immeuble de la rue Myrrha d'où plusieurs quittances de loyer étaient revenues l'avant-veille. Loyalement, Michaud plaida la cause de la secrétaire. Selon lui, la cherté de la vie justifiait sa réclamation. Elle avait certainement du mal à joindre les deux bouts.

— Et nous, répliqua Lolivier, on n'a peut-être pas de mal? Est-ce que nos revenus ont augmenté? La vérité, c'est qu'avec tes charges de famille, tu gagnes beaucoup moins que Solange. Bien sûr, ça ne veut pas dire qu'elle mange de la viande tous les jours, mais elle est payée au tarif normal. Toi, tu veux toujours faire mieux que le possible. Il faut pourtant faire la part de ce qui incombe au bon Dieu. Ta bonne volonté ne peut pas suppléer à tout, il faut t'y résigner. C'est comme avec les locataires de la rue Myrrha.

La Société gérait deux immeubles du quartier de la

Goutte d'Or, dont un rue Myrrha. Les appartements étaient loués à des familles d'ouvriers et depuis l'invasion, la Société avait souvent du mal à faire rentrer l'argent des loyers. Lolivier s'en occupait personnellement, car l'expérience avait démontré que Michaud se laissait trop facilement attendrir et manquait de l'autorité indispensable.

Le marché de la rue Dejean, qui entretenait autrefois l'animation dans les rues voisines jusqu'au début de l'après-midi, était mort depuis longtemps. La pluie avait d'ailleurs chassé les quelques marchands de lacets ou de brosses de chiendent en erzatz dont les mallettes remplaçaient, au bord du trottoir, les plantureux éventaires de jadis, débordants de fruits et de légumes. A midi, la rue Myrrha était presque déserte. Plaquée contre le mur pour s'abriter de la bourrasque et de la pluie, une double rangée de femmes et d'enfants piétinait à la porte d'une épicerie dont la vitrine était vide. Les hautes maisons plates, presque toutes pareilles, aux façades couleur de mal blanc, avaient l'air d'un décor de théâtre conçu pour une pièce réaliste avec des moyens insuffisants. Sous la pluie fouettée par les grands coups de vent, la rue paraissait malingre et fragile. Dans la queue de l'épicerie, une grosse femme coiffée d'un fichu reconnut de loin Lolivier et dépêcha une fillette pour donner l'alerte chez elle. Il comprit la manœuvre et, sans hésiter, prit le pas de course jusqu'à l'immeuble. Sans s'arrêter à la loge des concierges, il enfila le couloir, grimpa deux étages et frappa à une porte. Le locataire [1], qui était en retard de

1. André Caseneuve, ouvrier tourneur, fut requis en 1943 pour le travail obligatoire et envoyé dans une usine de Bavière. Mieux nourri que chez lui et n'ayant plus le souci immédiat de sa famille, il prit goût à sa nouvelle existence. Il trouvait les méthodes de travail allemandes supérieures à celles qu'il avait

trois termes, fit valoir ses deux enfants, sa femme alitée, la vie chère.

— Les loyers n'ont pas augmenté, répliqua Lolivier. Voilà trop longtemps que vous me lanternez avec les mêmes histoires, je ne peux plus attendre.

Il menaça le locataire d'expulsion, obtint un accompte de trois cents francs et monta à l'étage supérieur en songeant avec une sombre délectation qu'il venait de réussir une fois de plus là où eût échoué infailliblement le noble cœur de son associé. Après avoir visité tous les mauvais payeurs de l'immeuble, il gagna l'étage de chambres mansardées. Prenant une clé dans sa poche, il ouvrit avec précaution l'une des portes qui donnaient sur le couloir. La chambre dans laquelle il pénétra était meublée d'un sommier et de deux chaises de fer. Une cage à oiseau était posée sur le rebord de la fenêtre mansardée. Dans cette petite chambre close flottait une odeur fade, écœurante, qu'il respira pourtant sans déplaisir. Ayant pris place sur l'une des chaises, il resta un moment immobile, jusqu'à ce que la souris blanche, cachée entre le sommier et la muraille, se fût décidée à sortir de la ruelle. De la poche de son pardessus, il tira alors un sandwich au jambon qu'il avait confectionné chez lui avant de partir pour le bureau et se mit à déjeuner. La souris blanche vint jusqu'à

connues en France. Les Allemandes lui semblèrent plus désirables que les femmes françaises, en particulier que la sienne. Caseneuve participa néanmoins aux efforts de sabotage de son groupe et échappa de justesse à la déportation. A partir de juillet 44, il resta sans nouvelles des siens pendant près d'un an et constata qu'il n'en souffrait pas. Ayant appris la langue, il crut pouvoir, après la défaite allemande, rester en Bavière, mais sa tentative échoua et il fut rapatrié. Heureux de revoir sa famille, il lui sembla néanmoins reprendre le collier après de longues et plaisantes vacances.

ses pieds manger le pain qu'il émiettait. Parfois elle s'enhardissait, montait sur le nez de son soulier et eût peut-être grimpé sur ses genoux et plus haut s'il l'avait laissée faire, mais l'idée qu'elle pût courir sur ses vêtements, lui inspirait un violent dégoût. Le repas terminé, Lolivier suivit des yeux les ébats de sa protégée en réfléchissant aux améliorations qui lui permettraient de s'installer définitivement dans la mansarde pour y mener une existence de célibataire. Il n'y était du reste pas décidé et craignait de se laisser duper par des raisonnements spécieux. La mansarde et la solitude en compagnie d'une bête lui semblaient être le choix de la sagesse et, à ce titre, lui inspiraient quelque méfiance. Il n'était pas sûr que la tranquillité pût remplacer la chaleur qu'il trouvait chez lui. D'autre part, il attendait beaucoup de la fuite et de l'oubli. Après avoir longtemps retourné le problème, il fit ce qu'il avait déjà fait la veille. Tirant une enveloppe de sa poche, il étudia mot à mot la lettre que lui avait adressée son fils l'avant-veille.

« Mon cher papa. — Je m'en veux de t'avoir laissé si longtemps dans l'inquiétude et je me hâte de te rassurer sur mon sort. J'habite, depuis une semaine, dans l'une des rues les plus sordides de Paris, une espèce de cave où je vis maritalement avec un Arabe d'une cinquantaine d'années et une grosse fille prénommée Lola. Lola et moi faisons le trottoir chacun de notre côté, etc. »

Le monstre décrivait son existence avec un luxe de détails ignobles qui ne laissaient rien à supposer. Lolivier avait lu le morceau une dizaine de fois et voulait encore espérer qu'il s'agissait d'une invention.

IX

Dans la pénombre de l'escalier, Malinier dépassa une longue silhouette maigre qu'à son col dur et à ses moustaches blanches, il reconnut être celle de M. Coutelier.

— Bonjour, monsieur l'Inspecteur, dit-il avec bonne humeur. Vous ne me remettez pas. Nous nous sommes rencontrés un soir chez Mme Grandmaison. Je suis ce mauvais Français que vous avez vertement chapitré, vous vous souvenez ? Ah! je n'en menais pas large, ma foi.

Au souvenir, Malinier partit d'un grand rire et ajouta en touchant l'épaule de l'inspecteur primaire :

— Mais la leçon m'a profité. Vous voyez.

Or, M. Coutelier ne voyait rien. Il avait une mauvaise vue et la cage de l'escalier était très sombre. Toutefois, il se souvint de Malinier et fut heureux de le savoir revenu à une appréciation plus saine des réalités humaines et politiques.

— Un peu de bonne foi et de réflexion conduit toujours à la vérité, dit-il. Vous allez sans doute chez Mme Grandmaison?

— Je vais lui faire mes adieux. Je ne l'ai pas prévenue

de ma visite, mais au début de l'après-midi, j'ai pensé qu'elle serait chez elle.

— Je ne crois pas qu'elle soit sortie. J'ai d'ailleurs une commission pour elle. Je vous accompagne jusqu'à la porte.

Malinier s'effaça pour laisser passer l'inspecteur. Alléché par l'occasion qui paraissait s'offrir de propager la bonne parole, le vieillard entendait bien ne pas rester à la porte et prendre le temps d'une profession de foi. Chou accueillit les visiteurs et les fit entrer dans le boudoir aux nickels où Yvette était en conversation avec Antoine et Tiercelin. Le ciel s'était éclairci et un jour franc pénétrait dans la pièce. M. Coutelier, qui était entré le premier, crut lire une expression de surprise sur les visages des trois jeunes gens. Tournant la tête, il poussa un cri en découvrant que Malinier portait l'uniforme allemand.

— Monsieur, dit-il en se plaçant devant Yvette, sortez immédiatement. Vous êtes chez un soldat français, prisonnier des gens qui vous paient. Allez-vous-en.

Malinier était un peu pâle. Il regarda ses bottes, son uniforme vert en drap fin, ses décorations et, sur la manche, l'écusson tricolore.

— Ne confondons pas. Si je me trouve aujourd'hui sous l'uniforme allemand, c'est pour racheter vos conneries et vous rendre un jour une liberté que vous ne méritez plus. Dans trois jours, je pars pour la Russie et ma femme me traite d'imbécile parce que je vais crever comme un loup, engraisser une terre qui ne fleurira pas pour les miens. Ma concierge ne me parle plus et les copains se détournent de moi ou bien ils me crachent dans le dos. Et moi, dans ces habits-là, je ne me sens pas à mon aise non plus. Mais vous avez vendu votre fille à un Juif. Votre pays, vous l'avez vendu aussi, aux Juifs, aux maçons, aux poètes et aux communistes. Ils en ont fait ce que vous voyez et comme vous vous en lavez les mains, c'est moi qui répare les dégâts, qui paie comptant avec ma viande. Un jour, vous apprendrez que j'ai laissé mes os là-bas et vous rirez bien [1]. Vous direz tant mieux, c'est toujours un vrai Français de moins et une place de plus pour les Juifs. Seulement, les Juifs, y en aura plus. On les aura tous descendus ou renvoyés chez les Cafres. Et même les demi-Juifs, on les châtrera.

M. Coutelier était tellement indigné qu'il prit d'abord la résolution d'opposer à ces discours un silence méprisant. Malheureusement, comme le lieutenant Malinier poursuivait sa diatribe contre les Juifs et les marxistes, l'inspecteur ne

1. Malinier ne devait pas mourir en Russie. Fait prisonnier par les Américains après la débâcle allemande, il fut remis aux autorités françaises. Dans l'une des prisons qu'il connut successivement, il fut maltraité. Récit d'un témoin : « Le soir, les hommes de la L. V. F., complètement nus, étaient alignés dans la cour et à moitié assommés à coups de trique. Ils passaient toute la nuit dehors dans la même tenue et leurs gardiens, presque tous des jeunes gens, venaient de temps à autre les rouer de coups. Au cours d'une même nuit, j'ai été réveillé plusieurs fois par un concert de hurlements. Le matin, avant de les faire réintégrer leurs cellules, les gardiens les obligeaient à se rouler dans des débris de verre. Je les voyais de ma fenêtre. De toutes parts, le sang ruisselait des chairs déjà tuméfiées par les coups. L'aumônier de la prison, qui était au courant de ces pratiques, feignait de les ignorer et peut-être y prenait-il plaisir. J'allai le trouver et lui reprochai sa passivité. Je le priai de faire mettre fin à ces mauvais traitements ainsi qu'à ceux, équivalents, infligés aux femmes. Il me promit que les gardiens seraient punis et les prisonniers humainement traités. Je ne sais ce qu'il en est advenu. » Malinier passa en jugement au mois de décembre et fut condamné à mort. A maintes reprises, au cours de l'audience, il protesta de son patriotisme, ce qui fit d'abord sourire les jurés et finit par les agacer.

sut pas résister au désir d'avoir raison et laissa échapper une riposte cinglante qui fut le départ d'une interminable dispute. Yvette et les deux garçons écoutèrent en silence et non sans ennui. Le débat, semblait-il, ne les concernait pas. Toutefois, leurs sympathies allaient à Malinier. Ce n'était pas que sa cause leur parût meilleure que celle de M. Coutelier, au contraire. Antoine, en particulier, était fortement prévenu contre l'antisémitisme et l'esprit de collaboration, mais de même qu'Yvette et Paul, il aimait cet homme violent et naïf qui acceptait d'aller mourir très loin de chez lui dans un pays inconnu. A côté de ce personnage éclatant, le vieux était si vieux, son col était si dur qu'il était très difficile de l'aimer. Ses raisons s'ordonnaient avec une rigueur toute pédagogique et il avait en outre l'agressivité du pauvre qui compte exactement ses souffrances. Il ne laissait jamais oublier qu'il était pauvre. On le trouvait ennuyeux et on aurait eu plaisir à lui voir river son clou. Quand Malinier parlait de châtrer les Juifs ou d'employer les poètes à des travaux de vidange, les jeunes gens riaient. A la fin, le vieillard se fâcha de voir qu'au lieu de se ranger au parti de la justice, ils prêtaient une attention indulgente aux paroles d'un traître.

— Comprenez donc, leur dit-il, que c'est en haine de votre jeunesse que cet homme a revêtu l'uniforme ennemi, pour arracher de vos cœurs et de vos esprits tout un héritage d'humanisme et de civilisation française qui fait de vous des êtres infiniment supérieurs aux jeunes robots du prussianisme hitlérien.

— Supérieurs? ricana Malinier. La preuve, c'est que la jeunesse allemande a battu la nôtre et comment!

— Vous l'entendez? Il ne prend même pas la peine

de cacher ses sentiments de haine et de mépris pour la jeunesse française. Tout ce qui est noble et beau lui fait horreur. Il n'a d'estime que pour la brute, la machine à faire la guerre, à tuer, à détruire et à torturer.

— Je regrette, mais le monde est en guerre. Ce qui compte et qui n'a pas fini de compter, c'est la force. Sûrement que c'est mignon de passer sa vie à des jeux de gonzesses et de poètes, mais dans les coups durs, ce n'est pas ce qui avance à grand-chose. Et j'ai justement dans l'idée qu'on est parti pour les coups durs, pour cent ans de coups durs. Ce que je souhaite à mon pays, c'est une jeunesse toute en muscles, qui aurait mauvais caractère et pas plus d'esprit que mes tatanes. L'héritage de vieille civilisation française, j'en fais cadeau à vos Juifs pour emporter chez les Cafres. Si ça les fait marrer de lire Racine, c'est pas la peine qu'ils s'en privent. Nous autres Français, on n'en a pas besoin.

A ces paroles impies, M. Coutelier triompha bruyamment et prit les jeunes gens à témoin de l'effroyable bassesse où sombrait l'officier fasciste. Mais cette irrévérence à l'égard de Racine, loin de scandaliser Paul et Antoine, leur était plutôt sympathique. Un homme capable de traiter aussi cavalièrement les divinités scolaires leur inspirait une certaine estime. Paul était particulièrement séduit par cette indépendance d'esprit et crut devoir sortir de son mutisme pour approuver Malinier.

— Monsieur a raison, dit-il, Racine nous emmerde.

M. Coutelier fut douloureusement frappé par le témoignage de Paul et comprit que le fascisme était en train de gagner du terrain. Descendant au fond de lui-même, très en deçà de son col dur et de ses habitudes de pensée, il découvrit qu'il n'avait personnellement aucune inclination pour Racine, bien qu'il fût tout prêt, le sachant, à donner sa vie pour un vers de *Britannicus.* Songeant à tous les admirateurs de Racine qu'il avait connus, il les soupçonna de nourrir à l'égard du poète le sentiment de respect ennuyé et craintif d'un employé de bureau pour son supérieur. Du coup, il comprit la sorte de prestige dont jouissait Malinier auprès des jeunes gens.

— Je vous vois en admiration devant cet homme parce qu'il ose dire que Racine l'ennuie, mais vous prenez pour de l'indépendance d'esprit ce qui est simplement de l'ignorance. Comme tous ses pareils, il méprise ce qu'il ne connaît pas. Je le mets au défi de citer sulement trois pièces de Racine.

Pour complaire à sa femme, Malinier avait lu très attentivement, l'année de son mariage, les classiques du théâtre français. Malheureusement, il ne se rappelait aucun des titres du théâtre de Racine. Il devint très rouge et son cou se gonfla dans son col d'uniforme. Il était mortellement ennuyé et conscient de la gravité de son cas. L'inspecteur se repaissait de son embarras. Il s'offrit même le luxe de lui souffler la première syllabe de *Bajazet,* puis la seconde. Malinier ne trouva rien et se sentit le cœur aussi lourd que s'il eût commis une mauvaise action. Yvette, qui avait son brevet supérieur et qui aurait pu parler de Racine pendant une heure d'horloge, fut scandalisée par une telle ignorance. Antoine et Paul étaient eux-mêmes gênés pour Malinier et lui retiraient une part de l'estime qu'il s'était acquise auprès d'eux.

— La cause est entendue, déclara M. Coutelier. Cet homme n'était pas plus qualifié pour parler de Racine qu'il ne l'est pour juger de l'honneur de la France et de ses intérêts. Notez que son cas n'en vaudrait pas mieux s'il connaissait par cœur *Britannicus* ou *Athalie.*

— On peut tout de même ne pas aimer Racine, avança Antoine.

— Ce n'est pas la question, répliqua l'inspecteur. Un homme civilisé doit être capable de lutter et de mourir pour des choses qu'il n'aime pas. C'est ce que M. Malinier ne pourra jamais comprendre, pas plus d'ailleurs que ses amis nos ennemis. Comme eux, il est capable de donner sa vie, mais pour une divinité ou pour un jambon ou pour toute autre chose qu'il aime physiquement. Il quitte son pays, sa famille, il va en Russie chercher une vie pénible et une mort ignominieuse pour servir un homme dont la figure monstrueuse a frappé son imagination naïve et qu'il adore puérilement. Ce malheureux, qui n'est pas tout à fait responsable et qui serait à plaindre si...

— Et si je vous balançais mon poing en pleine gueule, dit Malinier, est-ce que je serais responsable?

— Ce genre d'argument vous va bien, mais il n'est ni de mon âge ni de mon milieu. Je vous le laisse. Je suis d'ailleurs obligé de partir, car il est quatre heures. Monsieur, je vous invite encore une fois à vider les lieux. Votre présence, sous cette livrée, insulte au malheur d'une honnête femme qui pleure l'absence d'un compagnon exilé dans les geôles boches.

— C'est vrai, Yvette, que vous considérez ma présence comme une insulte?

— Mais non, M. Coutelier exagère. Je vous connais suffisamment pour savoir que vous êtes un ami sincère de mon mari et que votre uniforme n'a rien changé à vos sentiments.

Cet esprit de conciliation écœura M. Coutelier qui

reprocha sévèrement à Yvette de manquer à son devoir de femme. Il ne craignit même pas de faire allusion à ses écarts de conduite et mit Antoine en cause nommément. Malinier comprit le sens de l'accusation et défendit la femme de son ami Grandmaison.

— On a beau aimer les absents, dit-il, la nature reprend forcément ses droits. Voyez ce que c'est. Moi, ma femme me trompe depuis dix ans et je couche à la maison tous les jours. Je vous dirai que je ne m'en inquiète même plus. Et Malinier ajouta négligemment : L'important est de ne pas coucher avec un Juif.

Cette fois, le vieillard ne riposta plus et sortit, la tête haute, sans saluer personne. Tandis que Chou le reconduisait, Malinier dit à mi-voix :

— Le vieux a raison. Une femme de prisonnier doit rester irréprochable et ne pas faire de bêtises avec un morpion de seize ans. Vous n'allez pas me dire que c'est sérieux. Je ne sais pas ce que vous avez à la place du cœur, mon garçon. Je suis peut-être capable de bien des choses. Mais avec la femme d'un prisonnier, ça, jamais. C'est bien simple, ça me dégoûterait. Je sais bien que quand on est gamin, on ne pense pas à ces choses-là, trop content de trouver une femme qui veuille bien. L'amour, c'est une chose qui existe aussi. On ne peut pas toujours aller contre. Tout de même, vous n'habitez pas ensemble?

Antoine feignit de n'être pas à la conversation. Il avait sur le cœur les paroles que Malinier venait de prononcer à son sujet. Yvette en voulait également au visiteur de son appréciation sur leur intimité et pensa d'abord à décourager sa curiosité, mais son visage maussade se détendit soudain, son regard se chargea d'une rieuse douceur.

— Monsieur Malinier, nous sommes de si bons amis que je me reprocherais de ne pas vous dire toute la vérité. Voilà où nous en sommes. Antoine, qui habite ordinairement chez ses parents, est venu s'installer chez moi pendant les vacances de Pâques. Bien entendu, sa famille n'en sait rien et croit qu'il est allé passer ses vacances en Bourgogne avec son ami Paul ici présent. Antoine est donc venu chez moi samedi soir et doit repartir le jour où il est censé rentrer de voyage, c'est-à-dire mercredi prochain. Jusque-là, vous voyez, la situation est simple. Mais elle se complique du fait que nous nous aimons plus que je ne saurais vous le dire. Eperdument, monsieur Malinier, voilà le mot. Et comme vous le disiez si bien tout à l'heure, l'amour, c'est une chose qui existe et on ne peut pas aller contre.

— Je l'ai dit, bien sûr, et je ne m'en dédis pas, mais ce n'est tout de même pas une raison...

— Monsieur Malinier, vous avez dit là une parole vraie, une parole profonde. Antoine et moi, nous vivons ensemble depuis cinq jours et nous avons déjà compris que nous ne pourrons plus jamais vivre l'un sans l'autre. S'il nous fallait nous séparer maintenant, ce serait pour nous pire que la mort et, pour ma part, je n'aurais pas la force de vivre.

— Vous me faites marrer. Et les prisonniers, alors? Est-ce qu'ils ne souffrent pas, eux aussi, d'être séparés de ce qu'ils aiment?

— C'est possible. En tout cas, ils n'en meurent pas, eux. Moi, si je devais vivre loin d'Antoine, j'en mourrais. Ne me parlez donc pas de devoir ni de morale. Je ne sais qu'une chose, c'est qu'Antoine doit rester chez moi et ne plus me quitter jamais. Vous êtes trop intelligent, monsieur Malinier, trop sensible pour ne pas le comprendre.

Malinier convenait sans déplaisir qu'il était intelligent et sensible, mais demeurait réticent quant à l'essentiel. Yvette lui prit les mains, versa quelques larmes et lui représenta qu'il ne pouvait réclamer d'elle plus d'austérité qu'il n'en exigeait de sa propre femme. Comme il ne s'agissait après tout que d'une indulgence de principe, Malinier finit par y consentir.

— Je savais que je pouvais compter sur votre amitié, s'écria Yvette en lui jetant ses bras autour du cou. Vous êtes la seule personne au monde à qui je pourrais demander tant de compréhension et de dévouement. Voilà ce que vous allez faire : vous irez chez les parents d'Antoine. Vous vous présenterez en uniforme comme un officier de la Gestapo. Vous demanderez à interroger leur fils Antoine en laissant entendre qu'il est soupçonné d'espionnage. Naturellement, on vous répondra qu'il n'est pas là. Vous exigerez qu'on vous fasse visiter l'appartement, et vous partirez avec un air méfiant, mécontent, et des paroles de menace. Le lendemain, Antoine fera parvenir une lettre à son père, lui expliquant qu'il est recherché par la police et qu'il est obligé de se cacher chez des amis sûrs dont il ne peut donner l'adresse.

— Je ne marche pas, déclara posément Malinier qui avait écouté la proposition en secouant la tête avec décision.

— De quoi avez-vous peur? Vous ne risquez absolument rien. En dix minutes vous aurez bâclé l'affaire.

— Je n'ai pas peur, mais je ne marche pas. Un homme de mon âge, père de trois enfants, ne va pas se prêter à des manigances pareilles. C'est des histoires de gamins. Et d'abord, si j'ai endossé cet uniforme-là, c'est pour défendre les Français contre les communistes, les Juifs, les poètes, les cubistes, les Anglais. Ce n'est pas pour aller terroriser des pauvres gens. Et puis enfin, il faut penser aussi à Grandmaison. Qu'est-ce qu'il dirait, Grandmaison, s'il savait que son copain Malinier lui a fait ça. Non, je ne marche pas.

— Ah! vous ne voulez rien faire pour moi. Vous n'êtes pas un ami sincère. Quand on ne veut pas rendre un service, on trouve toujours des raisons pour se défiler.

Yvette sanglota dans son mouchoir et dit qu'elle n'avait plus qu'à mourir. Ses parents l'avaient mariée contre son gré à un homme qu'elle n'aimait pas. Maintenant, alors que la vie semblait lui sourire et lui offrir l'oubli des tristes années passées, elle ne trouvait autour d'elle que des visages hostiles, de faux amis résolus à lui barrer la route, à briser son bonheur. Le désespoir lui allait bien. Ses yeux humides avaient un regard trouble des plus émouvants. Malinier ne se défendait plus.

— La vie est une drôle de chose, soupira-t-il. Mordu comme je suis pour la patrie, me voilà sous l'uniforme frisé et mon pauvre copain Grandmaison, je m'apprête à lui faire une vacherie. Conclusion de la chose, c'est qu'il ne faut jamais être vaincu, ni prisonnier. Mettez-vous bien ça dans la tête, vous les mômes. Des jeunes gens de votre âge, ça ne devrait penser qu'à la mitraillette et à la grenade. Ce n'est pas pour vous faire de reproche, Yvette, mais les femmes c'est encore bien de la poésie. C'est juste bon à vous mettre du vague dans les tripes. Vous allez vous mettre en ménage avec ce garçon-là. Est-ce que vous vous êtes seulement demandé avec quoi vous allez manger?

— Antoine a déjà trouvé du travail, répondit Yvette.

N'ayez pas d'inquiétude de ce côté-là, monsieur Malinier. Pourvu que nous soyons ensemble, nous saurons toujours nous débrouiller. L'essentiel est que vous fassiez le nécessaire de votre côté. Quand pouvez-vous aller trouver les parents d'Antoine?

— Puisqu'il faut en passer par là, je pourrais y aller maintenant.

— J'aimerais mieux que vous y passiez à l'heure du dîner, dit Antoine, quand mon père sera là. A cette heure-ci, ma mère est seule à la maison.

Malinier avait déjà disposé de sa soirée et l'on convint qu'il se rendrait chez les parents d'Antoine le lendemain soir entre sept et huit heures. Au sortir de la rue Berthe, il passerait rue Durantin rendre compte de son expédition et l'on irait dîner ensemble à la *Pomme d'Adam.* Yvette eut l'idée de lui faire répéter son rôle de policier et la précaution n'était pas inutile, car il y fut rien moins que brillant. Le ton était trop familier et l'uniforme ne corrigeait pas un certain abandon de l'attitude.

— Je m'amène. Je dis : « C'est bien vous les parents du jeune Antoine Michaud? J'ai ordre de l'emmener à la Kommandantur. Y a des trucs qui tournent pas rond...

— Soyez plus sec, soyez plus rapide. Surtout, parlez un français très correct en laissant échapper une faute de temps en temps. Pas un mot d'argot et n'oubliez pas l'accent.

Après une demi-heure d'efforts, Malinier fit un officier allemand présentable. Son rôle avait fini par l'amuser et il partit avec le souci d'y être à son avantage. Lorsqu'elle fut seule avec ses amis, Yvette embrassa longuement Antoine et se félicita de l'idée qui lui était venue si à propos. Paul considérait froidement ces effusions et ces transports de joie. Il attendit que le calme fût revenu et, s'adressant alors à Yvette, prononça d'une voix sévère :

— Si tu pouvais comprendre ce que tu viens de faire, tu serais peut-être moins fière de toi. Grâce à ton idée de génie, Antoine ne pourra pas remettre les pieds au lycée, ni passer son bac en juillet. Comme la guerre peut encore aussi bien durer cinq ans et davantage, le voilà obligé de renoncer à ses études. Il a seize ans. Regarde-le bien : une petite tête fine, des yeux gentils, des poignets frêles. Qu'est-ce qu'il pourra faire, dans la vie, sans diplôme? Les diplômes, le grec à haute dose, les idées de professeur, les conversations distinguées, c'est fait pour les jolies natures comme la sienne. Sorti de là, qu'est-ce qu'il deviendra? Employé de banque? Il ne tiendrait pas le coup. Huit heures de présence, le nez sur un registre et le regard d'un chef de bureau sur la nuque, ce n'est pas un métier qu'Antoine puisse supporter et il le sait bien. D'ailleurs, il ne gagnerait pas assez d'argent pour toi.

— Si quelqu'un se fiche de l'argent, c'est bien moi, déclara Yvette. Et en cas de besoin, je suis toute prête à travailler. Du reste, j'y ai déjà pensé très sérieusement.

— Ne raconte pas de boniments. Ça n'avance à rien et ça ne trompe personne. Tout ce que je te dis là, c'est aussi bien dans ton intérêt que dans celui d'Antoine. Je sais ce que tu penses et ce que tu espères. Tu aimes Antoine comme jamais peut-être tu n'as aimé un homme, mais tu te connais assez pour savoir que tu ne l'aimeras pas toujours. Il est gentil comme une fille, il a du mœlleux, il sait doser les petits plaisirs de la vie à deux et avec ça, la tête en ordre : Lettre au prisonnier, inscriptions chez la crémière, il s'en charge. Beaucoup de goût aussi : j'adore ce bleu-là, il te va très bien. Avec lui, il y a trois ans de bon à passer, ou cinq ou six, le temps que la guerre finisse et que le prisonnier rentre à la maison. A ce moment-là, même si par hasard on s'aime encore un peu, on renverse la vapeur. Il faut bien, le mari est rentré, il reprend sa place à côté de sa femme, à côté de sa fille, et d'ailleurs Antoine a vingt ans, il s'en va peut-être au service. Enfin quoi, la vie est comme ça. Antoine, tu l'adores maintenant, mais pas pour l'avenir. Tu trouves que ce n'est même pas très poli d'en parler, de l'avenir. Du moment qu'il est assuré pour toi, ça suffit et il est inutile d'y penser, n'est-ce pas?

Yvette protesta véhémentement avec un accent de sincérité douloureuse qui troubla Antoine et l'inonda de tendresse, sans toutefois effacer les doutes que l'exposé si raisonnable de son ami venait de faire naître en lui. Nullement impressionné, Paul Tiercelin restait froid en attendant de reprendre la parole.

— Mettons que j'exagère, dit-il. Mettons que tu n'aies pas plus pensé à ton avenir qu'à celui d'Antoine. En tout cas, tu comptes sur quelques années à passer avec lui avant la fin de la guerre et le retour de ton mari. Et bien entendu, même et surtout si tu n'y as pas réfléchi, tu comptes que pendant ces quelques années, vous allez vivre avec les trente ou quarante billets par mois qu'il gagne au marché noir. Mais ce que tu ne sais pas, c'est que le truc n'en a plus pour longtemps à fonctionner. Escartel a été arrêté ce matin, vers midi. Je crois que c'est Flora qui l'a dénoncé dans l'espoir de me faire pincer par la police. Escartel n'est qu'un rouage, mais bien cuisiné, il peut mettre les flics sur la piste. En tout cas, les patrons de l'entreprise vont se mettre en veilleuse. D'après ce que m'a dit mon père, ils seraient presque décidés à aller opérer dans une autre région et en admettant même qu'ils restent à Paris, ils lâcheront sûrement le quartier. Pour nous, il reste encore trois semaines à vivre sur la marchandise en l'écoulant au rythme habituel. Et après?

Yvette supporta péniblement le choc et ne sut pas cacher son inquiétude. Antoine faisait meilleure figure. Il était d'ailleurs plus soucieux des réactions d'Yvette que des lendemains difficiles. Pourtant, il entrevoyait des perspectives vaguement alarmantes et sentait s'éveiller en lui une angoisse encore incertaine qui n'était pas la peur de manquer. Jusqu'alors, l'idée de l'avenir n'avait jamais retenu sa réflexion. Depuis qu'il rêvait au bonheur de s'installer définitivement chez Yvette, il envisageait l'avenir comme un bloc de temps, compact, dépourvu de relief et partant du jour où sa décision serait arrêtée. Les paroles de Tiercelin le lui faisaient apparaître comme une succession d'accidents, de ruptures, et il commençait à regretter le temps de son enfance.

— Tout de même, fit observer Yvette, Antoine gardera une clientèle. Il lui suffira de trouver de la marchandise ailleurs. Par les temps qui courent, ce n'est pas si difficile.

— Antoine n'a pas de clientèle, répliqua Paul. On lui a fait une place dans un circuit tout organisé où il était un intermédiaire entre des intermédiaires. S'il trouve de la marchandise ailleurs, il faudra aussi qu'il se fasse une clientèle. Je ne crois pas que ce soit dans ses cordes. Dans quinze jours, quand les fonds commenceront à baisser, vous courrez les bars à la recherche d'un petit métier à smoking. Avec un peu de chance, Antoine entrera dans une boîte de nuit où il sera chargé d'annoncer les numéros, d'amuser les rombières et de pousser à la limonade. Il fera un peu de marché noir à la commission, un peu de coco, et il couchera avec les femmes de l'établissement. Je ne vous donne pas trois mois avant d'être brouillés. Si j'ai bien compris, ce n'est pas ce que vous souhaitez ni l'un ni l'autre. Alors, à quoi bon bouleverser la vie d'Antoine, lui faire abandonner des études où il est sûr de réussir, pour en faire une espèce de faux dur qui ne sera jamais à l'aise dans le milieu qui l'emploiera? Vous n'avez rien à y gagner et tout à y perdre. Et il serait si simple de continuer à vous voir comme avant les vacances. Une heure tous les jours, ça ne vous suffit pas?

Paul laissa ses amis méditer un moment les raisons de la raison. Assis côte à côte sur le divan, Yvette et Antoine baissaient les yeux et semblaient réfléchir chacun de son côté. Ils évitaient de s'appuyer l'un à l'autre. Leurs visages préoccupés étaient durs et moroses, comme s'ils se fermaient sur des pensées égoïstes. Paul put croire un instant qu'ils allaient revenir sur leur décision. Mais Yvette, leur ayant rappelé le projet qu'ils avaient formé de voir un film aux Champs-Elysées, se leva et serra longuement la main d'Antoine. En passant la porte, elle se retourna dans l'entrebâillement et lui adressa un sourire et une longue œillade. Son peignoir s'était ouvert et bâillait sur ses cuisses. La porte refermée, Antoine resta le cou tendu, le regard fixé sur la poignée.

— Naturellement, dit Paul, elle se fout de ce qui peut arriver. Elle sait qu'elle retombera toujours sur ses pieds. Mais pour toi, c'est autre chose. Vraiment, si tu plaques tes études, tu cours un sacré risque. Et encore, ce n'est rien. Un coup de chance peut tout arranger, bien que ça paraisse très peu probable. Ce qui est autrement grave et qui m'inquiète par-dessus tout, c'est la certitude de te voir t'enniaiser dans un pauvre petit collage bête d'où tu sortiras dans trois ans, liquiéfié pour le reste de tes jours.

Antoine se tourna vers lui avec un regard lucide, mais las et légèrement ironique qui suffit à décourager sa sollicitude.

— Je n'insiste pas. Je te vois exactement dans l'état où je craignais de te trouver après une année de collage. Décidément, tu avais de sérieuses dispositions. Mais n'en parlons plus et puisque tu as décidé de te livrer à Yvette, occupons-nous d'affaires sérieuses. Ce que je vous ai dit tout à l'heure est vrai. La combinaison est craquée et dans trois semaines, tu ne gagneras plus un sou. Vu les relations de mon père, je ne serai pas inquiété. Toi non plus, d'ailleurs. Personne ne connaît ton nom, et les gens auxquels tu as eu affaire, y compris Escartel, te prennent pour un commis de mon père. N'empêche qu'il va falloir manger. Heureusement, j'ai pu rattraper l'affaire des cercueils dans de bonnes conditions et comme elle n'est pas de la même source que les marchandises habituelles, j'ai pu la conclure sans risque. Dans la soirée d'hier et la matinée d'aujourd'hui, Ozurian a déjà revendu le lot entièrement et il a dû se sucrer confortablement, je le connais. Demain, au plus tard après-demain, tous les cercueils seront enlevés et l'argent nous sera versé aussitôt. Il t'en revient naturellement la moitié, ce qui fait un assez joli paquet : sept cent cinquante mille francs tout ronds.

Antoine, rouge d'émerveillement, se leva d'un saut et se mit à danser dans un mouvement de joie qui fit plaisir à Paul et le dérida :

— C'est chic de ta part, dit Antoine après rire et danser, mais j'ai quand même des scrupules. C'est toi qui as fait le travail. Il n'y a pas de raison de partager avec moi.

— Pardon, c'est toi qui as accroché l'affaire. Je n'ai fait qu'y revenir. Il est donc juste que tu aies ta part des bénéfices. Mais dis-toi bien que cette affaire-là nous est venue par hasard et qu'elle ne se représentera pas. Avec sept cent cinquante mille francs, Yvette et toi, vous devez pouvoir vivre tranquillement pendant deux ans, à condition de ne pas la laisser disposer de l'argent, bien entendu. En somme, si tu avais un peu de cran, pendant ces deux années-là, tu pourrais très bien poursuivre tes études.

Antoine acquiesça sans beaucoup d'entrain et fit observer que de toute façon, il ne pouvait pas passer ses examens.

— Vraiment, tu y tiens tant que ça à ce que je fasse des études?

— Je m'étonne que tu ne t'en rendes pas compte, mais si tu ne pousses pas tes études, tu resteras un être inachevé. Tu es une plante de serre. La culture classique, les imparfaits du subjonctif et ce qui va avec, ce sont tes armes et ton confort. Si tu pousses en pleine terre, tu ne seras jamais qu'une petite herbe pâle, une sensitive grelottante. Mais quoi, tant pis. Maintenant que tu es foutu, ce n'est pas la peine de lamenter des regrets. D'ailleurs, je te dirai que pour ma part, les études ne me plaisent pas beaucoup. Ce n'est pas de la paresse, puisque je suis capable de travailler sans vraiment m'intéresser à ce que je fais. Mais moi, je ne suis pas une plante de serre et je sens que les études m'empêchent de pousser. Et puis, quand je vois des gens très instruits, j'ai une peur bleue de devenir un jour comme eux. Sans parler de cet air un peu dégoûtant qu'ils ont presque tous, leurs manières me font penser, en moins bien, à celles des gens du milieu, des barbeaux bien en selle. Eux aussi, ils ont des façons de se reconnaître, de s'exprimer, et le mépris des types qui ne sont pas de la tierce et le point d'honneur cornichon. Ils ont même leurs tatouages à eux, mais pas sur les bras, ni sur le torse : ce ne serait pas assez voyant. Déjà au lycée, les types de notre âge, ils ne sont pas très ragoûtants. Ce qui me rassure, c'est que presque tous, ils me détestent. Je me dis que je ne suis pas des leurs, qu'ils le sentent. Au fond, peut-être que si tu poursuivais tes études, dans deux ou trois ans tu deviendrais imbuvable et c'est même certain. Je me présenterai pourtant au bac à la fin de l'année parce que ça fera vraiment très plaisir à mon père que je le décroche, mais je ne rentrerai pas au lycée en octobre.

Antoine écoutait ces propos avec un intérêt amusé et y reconnaissait quelque vérité, mais il en était secrètement choqué. Il se sentait dans l'autre camp, celui des gens très instruits. Mais si Paul s'expliquait assez clairement de ses aversions, il ne disait pas dans quel camp il se situait. Interrogé sur ce point, il répondit avec embarras :

— Je ne sais pas exactement ou plutôt je ne sais pas le dire. Peut-être aussi que je ne me sens à l'aise dans aucun milieu. Au lycée et chez les gens marqués par les études qu'on y fait, ce qui me gêne, c'est les fioritures, les breloques, les plumes dans le cul. Pour trouver un peu de vérité et de substance, il faut subir un tas de futilités, de superfluités qu'on vous donne pour le plus important et qui décourage de chercher. C'est ce qui me gêne aussi chez les femmes et qui a fini par me faire trouver Flora assommante. Une femme, au fond, c'est fait à peu près comme un homme. L'opposition des sexes ne devrait être qu'un moyen de se comprendre plus directement. Mais dès qu'elles ont une jolie figure ou une taille bien faite ou quatre sous de toilette sur le dos, elles s'entortillent dans un tas de complications où on n'est jamais fichu de les trouver. Mais j'ai peut-être tort de dire ça. Homme ou femme, un être finit toujours par découvrir qu'il appartient à une catégorie, à un clan, à une espèce quelconque qui a ses simagrées, son protocole, ses contorsions. Moi, ça m'embête. Je crois tout de même qu'il y a des situations, des circonstances où les gens sont beaucoup plus supportables. J'y pensais tout à l'heure quand le type de la L.V.F. était là. Pas de doute, il est un peu cinglé, mais il m'a fait l'impression d'être sincère, direct et de ne jamais chercher à se faire passer pour ce qu'il n'est pas.

— Mais au mois d'octobre, qu'est-ce que tu comptes faire? demanda Antoine.

— Justement. On m'a parlé ces jours-ci d'un noyau de volontaires armés qui serait en voie de se constituer quelque part dans le centre de la France. Il s'agirait de former des hommes pour l'attaque des convois allemands et des postes isolés. C'est un genre de vie et de société qui me plairait beaucoup. Mais depuis tout à l'heure, je me sens très tenté par la L.V.F. Faire la guerre en Russie avec des hommes dans le genre de Malinier, ça ne doit pas être mal non plus. L'ennui, c'est que pour s'engager dans ces formations-là, il faut probablement l'autorisation paternelle et je sais que mon père ne me la donnera pas, tandis que pour rejoindre les autres, je n'ai besoin de la permission de personne.

X

En traversant la place Pigalle à cette heure inaccoutumée pour lui, Michaud songea que depuis le début de l'occupation, il ne lui était pas arrivé plus de cinq ou six fois de se trouver ainsi dans les rues après le dîner. Comme ce soir, il avait marché dans des rues obscures, longé des blocs d'immeubles aveugles et rien ne lui avait été révélé de la vie nocturne de Paris. Il en voyait à peu près autant de chez lui, en entrebâillant le rideau de la défense passive. Et dans la journée, le champ de ses découvertes n'était guère plus étendu. Sauf quelques expéditions en métro, sa vie quotidienne ne débordait pas un étroit secteur à cheval sur deux quartiers. Et il n'aurait pas su dire le prix de la douzaine d'œufs, pourtant si caractéristique de la vie à Paris sous l'occupation. Il ignorait le nom du préfet de la Seine, le nombre de grammes de matières grasses auxquels il avait droit et était aussi incapable de reconnaître un S.S. à son uniforme que le grade d'un officier à ses pattes d'épaule. Il n'avait jamais assisté au défilé des troupes sur les Champs-Elysées pour la parade de midi et n'avait jamais été fouillé par la police française ou la gendarmerie allemande. S'il s'était trouvé soudain transporté à New York, il aurait été fort embarrassé de fournir aux Américains des renseignements un peu abondants sur la vie à Paris. Sans doute les journaux de là-bas lui en apprendraient-ils beaucoup plus qu'il n'en savait. Pourtant, il était sûr d'en connaître l'essence même. La vie de Paris avait pour lui une couleur, un goût, un parfum, liés à d'autres sensations plus diffuses. Il arrivait aussi, plus rarement, qu'elle se résumât sous l'aspect d'une forme plastique et abstraite qu'il retrouvait de loin en loin dans ses rêves et parfois, à l'état de veille, au détour d'une idée ou d'une image n'ayant aucun rapport avec elle. D'abord alarmé par la pauvreté de son expérience et de ses informations, il se rassura un moment à l'idée de cette gamme de sensations témoignant d'une connaissance profonde et intime de son époque. Se souvint ensuite que la guerre de Cent ans et la Révolution, qu'il n'avait pourtant pas vécues, faisaient surgir en lui d'autres gammes de sensations également spécifiques. Alors, il pensa à son pied gauche. Une espèce de callosité lui était poussée à l'orteil, entre les articulations, et lui causait parfois une souffrance aiguë. Ce n'était pas un cor. Hélène, consultée, avait voulu y voir un cor. Mais ce n'était pas un cor. Michaud en était absolument sûr. D'ailleurs, il avait eu souvent l'occasion de l'observer, les femmes ne comprennent pas les pieds de l'homme. Comme il descendait la rue Pigalle, une voix très douce l'appela dans l'obscurité. Sans doute la femme avait-elle reconnu à son pas qu'il était un homme. Une forme le frôla, une main légère saisit la manche de son pardessus et la voix répéta : « Tu viens, gros loup? » D'une voix bourrue, Michaud répondit qu'il n'avait pas le temps. « Ce sera vite fait », insista la douce voix. Une chevelure ébouriffée, qui lui parut jeune, lui frôla le bas du menton. Michaud écarta résolument la fille et allongea le pas, mais la chevelure et la voix lui laissaient un regret qui dépassait l'occasion. Il envia les hommes qui passaient leur temps à s'amuser et n'avaient d'autre souci que leur propre jouissance. « Etre né riche, songea-t-il, ou avec le don de faire de l'argent et se donner tout entier aux filles et aux plaisirs, c'est traverser l'existence bien tranquillement, quoi qu'en disent un tas de moralistes rhumatisants. Au lieu de poursuivre des idées et de très nobles ambitions pour aboutir à n'être qu'un intellectuel raté, si j'avais passé ma jeunesse et mon âge mûr à courir le jupon, je serais maintenant un vieux cochon que l'événement n'aurait pas déçu. La guerre mondiale, la défaite, l'occupation, le fascisme, les discours d'Hitler et la politique de Vichy ne seraient pour moi que des titres de journaux. Il y aurait toujours des filles et du champagne. Quand il y aurait une grande bataille sur le front russe, je rirais aux anges en pensant à des cuisses et à des visages de femmes. Hélas, je ne suis pas un vieux cochon, je pense au front russe, je pense à ce qui arrivera demain et je ne ris pas aux anges. »

Il était neuf heures et demie et la plupart des clients étaient encore à table. Beaucoup d'entre eux ne faisaient que commencer. A certaines tables, on servait du foie gras, à d'autres des quartiers de volaille. Malgré la forte carrure de Michaud, son entrée n'attira pas l'attention du personnel. Quelques clients remarquèrent son pardessus râpé, son chapeau décoloré et sa cravate en ficelle. Ils le regardaient sans malveillance, mais se demandaient ce qu'il venait faire en ces lieux où, évidemment, ses moyens ne lui permettaient pas de manger. Intimidé, il se découvrit et, après une minute d'attente, se décida à aborder un garçon qui se montra d'ailleurs poli et affable.

— Je suis déjà venu avant dîner pour voir M. Tiercelin, mais il n'était pas là. On m'a dit que j'avais des chances de le trouver ce soir.

— M. Tiercelin vient de descendre au bar. Il ne va pas tarder à remonter, mais si vous avez à lui parler, vous serez plus tranquille au bar qu'ici.

M. Tiercelin se tenait au fond du bar où il était en conversation avec une grosse dame bardée de renards argentés et portant de lourds bijoux d'or. Michaud lui fit dire par le barman que le père d'Antoine Michaud, camarade de son fils, était là.

— Une histoire bête, expliqua M. Tiercelin à la grosse dame qui était sa sœur. Son fils est un camarade de classe de Paul. Tu le connais, tu l'as vu ici avant-hier. Il s'appelle Antoine, il est avec Yvette, celle que Calam avait essayé de prendre en main l'année dernière. Tu te rappelles, il voulait la mettre en maison chez toi. Bref, le môme a raconté à son père qu'il allait passer les vacances de Pâques avec Paul en Bourgogne. Comme de bien entendu, ses vacances, il les passe chez Yvette. Le père n'avait jamais mis les pieds ici et le voilà qui s'amène ce soir sans crier gare. Qu'est-ce qui lui a pris? Peut-être qu'il a des soupçons, qu'il a entendu dire quelque chose? Je ne sais pas. Qu'est-ce qu'il faut que je dise, moi? Je ne peux pourtant pas l'affranchir.

— Fais comme si tu ne savais rien. S'il te dit que les gosses ne sont pas en Bourgogne, tu fais semblant de tomber des nues, tu t'indignes.

— C'est tout ce que je peux faire, mais ça me contrarie. J'estime qu'entre pères de famille, on n'a pas le droit d'agir déloyalement.

— Ne te fais pas de mouron, conseilla la sœur. Cet

homme-là, il suffit de le regarder : de l'employé honnête, voilà ce que c'est. Un homme de labeur avec pas un rond.

— Non, Lucette, ne cause pas comme ça, tu fais ordinaire. Et d'abord, avec son air con, ce client-là a sa licence. Tu ne te rends pas compte, la licence, c'est plus que le bachot. Homme de labeur, ça se peut, et pas un rond, ça se peut encore, mais je salue l'intelligence. J'estime que l'humanité a autant besoin de gens comme ceux-là que des gens comme toi et moi.

Lucette jeta un coup d'œil du côté de Michaud qui s'était assis d'une fesse au bord d'une banquette. Loyalement, elle s'efforça de l'admirer, mais ne put se défaire d'un doute.

— Je ne conteste pas que l'humanité ait besoin d'eux. Je sais bien que ce n'est pas toi ni Fredo qui pouvez inventer des mécaniques ou écrire dans les journaux. Quand même, ce n'est pas des gens marrants.

— J'en ai pourrant connu qui avaient de la conversation et qui savaient même drôlement causer aux femmes. Je me rappelle l'année que j'étais allé à Niort donner un coup de main à Gustave, il venait un percepteur. Excuse-moi, comment il savait les faire marrer toutes. Et quand il montait, ça ne lui coûtait pas un sou. Il a eu de l'avancement pendant que j'étais là-bas. Maintenant, je vais retrouver le père du gamin. En passant là-haut, dis donc à Rita de mettre quelqu'un en faction au-dessus de l'escalier pour si Antoine arrivait, l'avertir que son père est là.

M. Tiercelin avait déjà fait trois pas en direction de Michaud. Il se ravisa et revint à sa sœur.

— Dis à Fredo qu'il laisse tomber pour le capitaine Klest. Je viens d'avoir des tuyaux sûrs comme quoi les Allemands n'ont plus d'essence que pour deux mois. Les Anglais seront sûrement à Paris au mois d'août. Ce n'est pas le moment d'être en affure avec des officiers allemands, surtout quand on a une position en vue comme la vôtre. Là-dessus, moi je suis de l'avis de Caretti : on a toujours intérêt à être un bon Français. La patrie, elle en prend des fois un coup, comme maintenant, mais c'est quand même le côté du manche.

Michaud, désœuvré, observait les clients du bar. Les hommes l'intéressaient plus que les femmes auxquelles il ne prêtait que des préoccupations insignifiantes. Il avait toujours nourri un préjugé défavorable à l'endroit des habituées de bar ou de café. Il ne les croyait occupées que de la minute présente, sans autre souci que de trouver un miroir dans les regards de la clientèle. Des hommes, au contraire, surtout des hommes seuls, il lui semblait qu'ils fussent venus là pour s'informer de la vie et lui arracher quelque secret. La plupart lui étaient sympathiques, mais l'un d'eux retint particulièrement son attention. C'était un gros homme chauve [1], encore jeune, au crâne bosselé, aux sourcils broussailleux. Assis au comptoir, il réchauffait un

1. L'homme chauve, ardent maréchaliste, fut victime d'une erreur de nom en octobre 43 et arrêté par la Gestapo. Après avoir été torturé, il fut envoyé à Buchenwald où il mourut au mois de janvier dans les circonstances suivantes qui m'ont été rapportées par un témoin. L'homme chauve faisait partie d'une chambrée placée sous les ordres d'un Polonais, lequel, avec l'autorisation des Allemands, choisissait chaque matin au hasard quatre ou cinq hommes se trouvant sous sa coupe et les tuait avant son petit déjeuner, soit à coups de revolver, soit à coups de nerf de bœuf. Ayant une enflure de la joue dont l'aspect déplut au Polonais, l'homme chauve fut tué à coups de nerf de bœuf.

verre de fine entre ses deux mains et regardait scintiller le liquide avec un air de poignante mélancolie. Tout à coup, il leva son verre d'un geste brusque, presque violent, but un trait d'alcool et dit au barman en reposant son verre : « Je tiens un rhume de cerveau pépère. » Et sa voix grave avait des inflexions si nobles que Michaud continua à lui faire crédit. Cependant M. Tiercelin s'était approché et, après les compliments, l'emmenait à une table un peu écartée où deviser tranquillement. Michaud, qui avait observé avec soin l'inconnu au crâne bosselé, fit à peine attention à l'aspect de son hôte et ne remarqua même pas l'étrangeté inquiétante de ce visage dur et sec, de ces yeux minces aux clartés sinistres. M. Tiercelin, lui, l'examinait avec sang-froid et sentait déjà l'espèce d'homme à laquelle il avait affaire. Il fit servir des alcools et resta dans les politesses en attendant que le visiteur engageât la conversation.

— Vous penserez que j'ai beaucoup tardé à venir vous voir, dit Michaud et j'y pense depuis longtemps, mais j'ai été très pris. Les affaires, ma femme malade, les enfants, je n'ai pas eu un moment à moi. Mais je tiens à vous dire combien j'ai été touché de votre gentillesse pour Antoine Ces vacances en Bourgogne lui font évidemment le plus grand bien. Vous vous êtes imposé un souci...

— Pas du tout, protesta M. Tiercelin. C'était tout simple et Paul était trop content de pouvoir emmener son ami avec lui. Pour ma part, j'aime beaucoup Antoine et j'ai toujours encouragé Paul à le fréquenter. C'est un enfant intelligent qui a du cœur et surtout, ce que j'estime le plus, du sérieux. J'aime la jeunesse sérieuse, appliquée. Malheureusement, la guerre lui a fait bien du mal. Il y a en ce moment une crise de la moralité que bien du monde ne soupçonne pas et je suis d'autant plus heureux que le meilleur ami de Paul soit un garçon comme le vôtre.

— Antoine n'est pas un mauvais enfant, accorda Michaud. Mais je ne sais pas s'il mérite bien tous les éloges que vous faites de lui. En tout cas, sa mère a des doute, des inquiétudes et, sans être aussi pessimiste qu'elle, je me demande s'il n'y aurait pas quelque chose. Figurez-vous que ce matin, en même temps qu'une lettre d'Antoine, nous avons reçu ses notes du lycée et elles étaient à peine passables. La chose en soi n'a pas une très grande importance, mais jusqu'alors, Antoine s'était montré, disons le mot, un élève brillant et il n'est pas possible que ce brusque fléchissement soit simplement accidentel. A en croire sa mère, il y aurait là-dessous une histoire de femme. Elle en avait déjà eu l'intuition et je dois dire que plus j'y pense, plus je me persuade qu'elle a raison. Je me suis demandé si, de votre côté, vous n'auriez pas conçu les mêmes soupçons à l'égard de votre fils ou si vous n'auriez pas, en ce qui concerne Antoine, relevé quelque indice qui puisse nous guider.

— Monsieur Michaud, si j'avais eu des soupçons, vous pensez bien que je n'aurais pas attendu votre visite pour vous alerter. Naturellement que je ne veux jurer de rien, mais pour ce qui est de mon fils, ça m'étonnerait. Et d'abord, je vous dirai premièrement que je l'ai mis en garde contre le danger de se frotter trop jeune. Le jour de ses quatorze ans, je l'ai affranchi à zéro.

— Evidemment, dit Michaud, c'est une méthode. Je ne sais pas jusqu'à quel point elle peut être efficace. Le seul fait de l'entretenir de ces choses détruit dans son esprit cet effroi mystérieux, cette horreur irraisonnée du péché que le silence des parents y a créés et entretenus. D'un seul coup, vous effacez la distance mystique qui le séparait de la tentation et vous la réduisez à une simple comptabilité des inconvénients physiologiques. D'un problème moral, vous faites un problème d'hygiène dont la solution pratique n'est pas forcément refusée à l'enfant. C'est assez grave. D'autre part, si la crainte de la maladie suffit à le retenir, on risque de créer chez lui certains complexes qui ne sont pas souhaitables non plus.

Michaud insista longuement sur les précautions avec lesquelles il convenait de traiter un tel sujet en présence d'un garçon. M. Tiercelin était effaré par les subtilités et les scrupules dont s'embarrassaient, en des matières si simples, les personnes instruites. « On s'étonne qu'avec leur instruction, ces gens-là ne soient que des paumés, pensa-t-il, mais comment est-ce qu'ils pourraient se défendre, quand ils sont habitués à se poser autant de questions pour une pauvre petite histoire de caleçon? » Cependant Michaud enchaînait, réfutant, démontrant, se référant un peu indiscrètement à Rousseau, à Freud, et perdant de vue son premier propos. M. Tiercelin pâlissait d'ennui, si bien qu'il invita discrètement quelques amis à venir s'asseoir à leur table. Lorsqu'il eut terminé un exposé assez brillant sur le réalisme sexuel et ses connexions avec l'esprit révolutionnaire, Michaud s'aperçut qu'il était entouré d'une nombreuse compagnie et qu'il avait devant lui une coupe de champagne. La conversation se trouvait déjà orientée par ses propres développements et tournait à l'anecdote salée. Il ne détestait pas ce genre d'histoire pourvu qu'elles fussent dites entre hommes. La présence d'un élément féminin lui était pénible. A côté de lui se trouvait assise une belle fille bien plantée, prénommée Olga, qui raconta plusieurs anecdotes particulièrement corsées et avec une complaisance aux mots crus qui le gêna beaucoup. Néanmoins, comme elle se laissait aller sur son épaule et lui posait distraitement la main sur la cuisse, il en vint à la considérer avec plus d'indulgence et finit par la trouver amusante. M. Tiercelin suivait le manège d'Olga avec une discrète attention. Ayant épuisé son répertoire, elle parut céder à une sorte d'alanguissement et, se serrant contre son voisin, laissa rouler sa tête au creux de son épaule. Elle avait une abondante chevelure rousse, violemment parfumée, qui lui chatouillait le cou et la joue.

— Excusez-la, monsieur Michaud, dit Tiercelin. Olga est une bonne petite, mais si une personne lui est sympathique, elle ne sait pas le dissimuler et quand ce serait le roi d'Angleterre, ce serait la même chose. Voyons, Olga, laisse un peu M. Michaud tranquille. Qu'est-ce qu'il va pouvoir penser de toi?

Ces dernières paroles semblèrent éveiller au cœur d'Olga une soudaine inquiétude. Comme prise en faute, elle se redressa et, levant sur Michaud un regard anxieux, murmura d'une voix apeurée : « Vraiment, est-ce que vous pensez mal de moi? » Michaud, la voix légèrement voilée, se défendit de penser rien de tel et fit allusion au sentiment de sympathie qu'il éprouvait lui-même. Rassurée, elle poussa un soupir heureux et, se collant à lui plus étroitement, reposa sa tête sur son épaule. M. Tiercelin paraissait accorder si peu d'importance à cette familiarité que Michaud n'en fut pas autrement gêné. Il était simplement soucieux d'avoir l'air assez à son aise pour ne pas laisser soupçonner un certain émoi qui commençait à le gagner. Affectant le détachement d'un homme blasé sur les tentations de la chair, il feignait d'égarer une main de viveur distrait sur la chevelure d'Olga et de s'intéresser aux propos de son voisin de face. Celui-ci était un homme d'une cinquantaine d'années, aux cheveux gris très courts séparés sur le côté par une raie découvrant largement la peau du crâne. Il avait une figure intelligente et parlait avec un accent étranger à peine perceptible auquel Michaud ne prit d'ailleurs pas garde. L'homme était habile à relever les faiblesses ou les contradictions de l'interlocuteur et s'y prenait avec beaucoup de bonne grâce et de discrétion. Ils parlèrent d'abord de l'éducation des enfants et s'accordèrent un moment sur la nécessité de les préparer à leurs tâches sociales. Mais Michaud eut bientôt compris, à certaines réserves, que son voisin avait d'autres habitudes de penser que les siennes et tout opposées. Pourtant, l'homme ne se découvrait pas et le suivait sur son propre terrain, lui tendant des pièges avec des précautions amicales comme si, par scrupule, il s'attachait à critiquer une manière de penser qui leur fût commune. Michaud se défendait assez médiocrement, car l'intérêt qu'il prenait maintenant à la conversation ne lui faisait pas oublier Olga dont l'abandon, de plus en plus tendre, émoussait sa combativité et lui ôtait de sa présence d'esprit. Elle lui prenait la main, la pressait longuement, parfois même la portant à ses lèvres ou écrasant son visage contre sa joue. Troublé, doucement surpris, sans toutefois s'étonner d'être l'objet d'un choix aussi décidé, il était attentif à répondre à ces gentillesses. A chaque instant, Olga versait le champagne et le faisait boire dans sa coupe. Il sentait sans inquiétude lui monter à la tête et se répandre dans sa chair une ivresse légère, entraînante et des plus agréables. Pendant que les deux hommes disputaient, M. Tiercelin quitta la table et, après avoir échangé quelques mots au comptoir avec le barman, gagna la sortie. Au haut de l'escalier il trouva Yvette, Antoine et Paul qui attendaient là depuis quelques minutes. Antoine avait un visage consterné, des yeux brillants d'angoisse et ses mains et sa lèvre tremblaient. Yvette essayait en vain de le rassurer et de l'encourager. Sa sollicitude ne faisait que l'irriter.

— Ne vous tracassez pas, dit M. Tiercelin, il n'y a rien de grave. Le papa vous croit à la campagne, Paul et toi. Simplement, il se méfie un peu à cause de tes notes du lycée qu'il a reçues ce matin et il se demande si son garçon n'aurait pas, par hasard, une petite amie dans le coin. Bien entendu, je l'ai rassuré. On est déjà deux vieux copains et j'ai idée que d'ici une semaine et peut-être moins, le papa Michaud sera un peu moins sévère pour son fils. Laissez-moi faire.

M. Tiercelin eut un petit rire froid qui inquiéta son fils.

— Qu'est-ce qui se passe?

— Mais rien. Qu'est-ce que tu veux qui se passe? Le père d'Antoine discute avec un client sur la manière d'éduquer les enfants. J'aime autant te dire que je ne suis pas tout à fait de son avis. Chacun sa méthode. Il n'y a que les résultats qui comptent, mais ce n'est pas le moment d'en parler. Vous, ce que vous avez de mieux à faire, c'est d'aller vous coucher. Tout à l'heure, ton père rentrera chez lui tranquillisé et ne se fera plus de souci pour la conduite de son fils. Allons, ne restez pas là. De quoi est-ce que j'aurais l'air, si vous vous laissiez surprendre dans l'établissement? Bonsoir.

M. Tiercelin poussa les trois jeunes gens vers la porte et descendit l'escalier lentement pour se donner le temps de la réflexion. Il était encore impressionné par l'attitude de Paul et son regard soupçonneux où il avait lu de l'appréhension et presque un reproche. Une minute, il hésita sur la conduite à tenir à l'égard de Michaud, mais la prudence le conseilla. « Après tout, pensa-t-il, Paul n'en saura rien. Si plus tard les histoires du gamin viennent à se découvrir et que le père ait envie de me faire des reproches, il vaut mieux être paré. » Lorsqu'il revint au bar, la dispute soutenue par Michaud prenait un tour plus nettement politique. On prononçait de part et d'autre les mots démocratie, national-socialisme, Etat, liberté. Michaud, dont les yeux flamboyaient, avait maintenant en face de lui un adversaire déclaré, mais calme, souvent souriant. M. Tiercelin craignit une parole blessante ou une explosion de patriotisme et intervint avec bonhomie.

— Voyons, monsieur Michaud, vous n'allez pas apprendre à un officier allemand ce que c'est que le national-socialisme.

Michaud ne put dissimuler sa surprise de se trouver en face d'un officier allemand et le regarda avec des yeux ronds.

— Capitaine Hatzfeld [1], dit l'officier. Je m'excuse de ne m'être pas présenté tout à l'heure, mais c'est le charme de ces bars parisiens qu'on puisse y lier conversation sans trop se soucier des convenances.

— Quand on est officier allemand, il ne s'agit plus seulement de convenances, fit observer Michaud d'un ton sec.

Le visage de l'officier s'assombrit et son regard devint dur. Michaud eut peur d'avoir été insolent. Se sentant

1. Le capitaine Hatzfeld entra, en 1944, dans le complot contre Hitler. Il fut pendu à un croc de boucher, qu'on lui enfonça dans la gorge.

blêmir, il cacha sa figure dans les cheveux d'Olga. Honteux de sa faiblesse et bien que la peur lui courût encore sur la peau, il releva la tête et jeta tout à trac :

— Monsieur, vous avez perdu la guerre.

— Voyons, monsieur Michaud, protesta Tiercelin. Voyons, voyons.

— Nous sommes vainqueurs partout, fit observer le capitaine Hatzfeld en souriant. Vainqueurs en France, en Russie, en Grèce, en Norvège et sur mer. Pour l'instant, il n'existe pas d'armée qui puisse tenir tête à la nôtre. Mais nos adversaires travaillent et quoique leurs chances paraissent bien faibles, il est possible, après tout, que nous perdions cette guerre.

« Si nous la perdons, tant pis, ajouta-t-il après un temps de silence. Nous gagnerons la prochaine.

— Il n'y aura pas de prochaine, répliqua Michaud.

— Monsieur, vous ne connaissez pas l'Allemagne.

Sur ces mots, le capitaine Hatzfeld se leva, prit congé et fut au comptoir régler l'une des bouteilles de champagne bues à la table de M. Tiercelin et qu'il avait lui-même commandée. Michaud voulut en faire autant, mais son hôte le lui interdit, ajoutant que toute insistance le froisserait. La conversation se traîna encore un instant et le silence s'établit autour de la table. Michaud, humilié d'avoir eu peur de l'officier allemand, était triste et maussade. Tiercelin s'excusa d'avoir à faire et le laissa seul en compagnie d'Olga. Elle lui fit boire la dernière coupe de champagne et recommença le jeu des embrassades, des chuchotements et des mains placées. Il sentait à ces attentions se dissiper sa tristesse et, s'animant peu à peu, retrouvait cet état d'exaltation et d'ivresse légère qu'il avait connu tout à l'heure. Olga avait des façons un peu libres de lui marquer sa sympathie, mais il n'y voyait rien de choquant. Elle apportait à ces jeux une ardeur et un abandon témoignant d'une sincérité naïve, parfois enfantine, qui avait un grand charme. A mots couverts, mais suffisamment explicites, elle lui fit comprendre que son désintéressement était absolu, qu'elle ne souhaitait autre chose que son affection. Il en fut doucement ému. « Un bourgeois se scandaliserait d'une pareille déclaration, pensa-t-il avec un peu d'orgueil, il serait gêné par tant de noble simplicité. » Soudain, il s'avisa de l'heure tardive et déclara qu'il lui fallait partir. « Oui, dit-elle simplement, allons-nous-en. »

Pendant qu'Olga revisait son maquillage aux lavabos où le barman lui apportait un billet de cinq cents francs de la part du patron, Michaud prenait congé de son hôte et le remerciait de son accueil amical. Ils échangèrent encore quelques vues rapides sur les disciplines familiales et M. Tiercelin lui fit promettre de revenir passer une soirée à la *Pomme d'Adam*.

Dans la rue noire, Olga prit le bras de Michaud et l'entraîna dans une direction qu'il ne chercha pas à contrôler. « Si vous saviez comme je suis heureuse », dit-elle à plusieurs reprises. Michaud, lui, n'était pas tout à fait heureux. Il pensait à sa femme et surtout à Antoine dont il avait suspecté la conduite. Ce n'était au reste qu'un léger malaise n'ayant pas forme de remords. Par-devers lui-même, il feignait encore d'ignorer le but de cette marche à tâtons et il demanda une fois, d'une voix qui sonnait faux : « Où me conduisez-vous, petite Olga? » Toutefois, il n'hésita pas à franchir le seuil de l'immeuble où elle avait sa chambre et à la suivre dans l'escalier.

« Je ne pourrai pas rester longtemps », murmura-t-il en ôtant son pardessus. De fait, il ne resta pas plus d'une demi-heure. Elle se défendit de vouloir le retenir davantage, dans la crainte de lui causer des ennuis à la maison. « Pourtant, j'ai de la peine de te voir partir. » Elle exprima à plusieurs reprises le désir de le revoir et comme elle devait s'absenter de Paris le lendemain, ils décidèrent de se rencontrer le surlendemain après-midi, qui était veille de Pâques. A l'instant du départ, Michaud parut embarrassé et porta timidement la main à la poche intérieure de son veston, mais Olga arrêta le geste avec une tendre indignation.

Il n'était pas plus de minuit lorsqu'il arriva rue Berthe. Hélène était déjà très inquiète. La circulation était interdite depuis plus d'une heure. Une patrouille aurait pu l'arrêter. Michaud expliqua qu'il avait reçu chez Tiercelin un accueil des plus aimables et que la courtoisie l'avait empêché de se soustraire plus tôt à cet empressement.

— Quant à Antoine, je suis rassuré. Tiercelin, qui est un excellent homme et qui paraît avoir beaucoup d'affection pour Antoine, ne croit pas du tout à une histoire de femme...

Michaud parla longuement de sa soirée chez Tiercelin et avec une volubilité qui ne lui était guère habituelle. Dans ce flux de paroles pressées, Hélène ne relevait du reste rien qui témoignât vraiment en faveur d'Antoine. L'optimisme de ce Tiercelin ne paraissait fondé sur aucune raison valable. Elle était étonnée que son mari se fût laissé convaincre par de simples affirmations. Mais cette crédulité la surprenait moins encore que son attitude. Ordinairement, lorsqu'il rapportait à sa femme une conversation entendue au-dehors, Michaud, le regard vague, la pensée distraite, se livrait à une espèce de soliloque, brodant des commentaires sur la trame de ses souvenirs et s'égarant à chaque instant dans des généralités. Ce soir, il parlait pour elle. Il ne la quittait pas des yeux, son beau regard tendre et droit se faisait persuasif et chacune de ses paroles lui était vraiment destinée. Jamais elle ne l'avait senti aussi présent, aussi proche. Elle en était trop touchée pour oser le contredire et doucher son optimisme. Assis au bord du lit, le visage souriant, la voix affable, il paraissait soucieux de la renseigner exactement et de ne rien oublier. Cependant, il souffrait de se sentir entraîné dans un cycle de mensonges dont l'inutilité lui semblait évidente. Il faisait tenir à Tierclin des propos imaginaires pour le montrer plus à son avantage, rapportait sa conversation avec le capitaine Hatzfeld, dont il cachait l'existence à Hélène, en lui substituant d'autres interlocuteurs, et parlait d'Olga comme d'une très vieille dame collet-monté. Lui qui ne mentait jamais, sauf nécessité honorable, il s'effrayait de constater avec quelle aisance et quelle sûreté il se mouvait dans ce réseau de mensonges mesquins et compliqués.

Le lendemain, il eut un réveil amer. Il pensait maintenant à Olga sans exaltation, comme à un accident à peine regrettable, mais le souvenir de son retour auprès d'Hélène et de ses propres bavardages le poursuivait obstinément. Il avait dans le nez et dans la viande le goût écœurant du mensonge refroidi. En se rasant devant la glace, il se regardait avec dégoût en grommelant contre lui-même. Le petit déjeuner qu'il prit dans la cuisine avec Pierrette et Frédéric lui fut particulièrement pénible. Il pensait que la veille, il buvait le champagne avec un capitaine allemand qui ferait peut-être un jour fusiller Frédéric. En admettant même qu'il y eût là un hasard improbable, le spectacle offert à un officier allemand d'un père de famille français vautré publiquement dans les bras d'une fille était en soi assez répugnant. Et il y avait eu aussi ce mouvement de peur ignoble qu'il n'avait même pas su dissimuler complètement.

— Papa, dit Frédéric d'une voix ferme, un peu agressive, j'ai vraiment besoin de souliers. Ce n'est pas seulement la semelle qui fiche le camp, c'est le dessus.

— C'est vrai, appuya doucement Pierrette, ses souliers ne tiennent plus du tout.

— Puisque tu en as besoin, achètes-en une paire, répondit Michaud.

Frédéric, qui s'attendait à rencontrer une résistance hargneuse, en resta stupéfait. Le père ajouta avec une sorte d'empressement affable :

— Surtout, prends quelque chose de solide, même si ça doit coûter un peu plus cher.

Ce matin-là, Michaud se surprit à courir sur le chemin de son bureau. Il avait hâte de retrouver l'atmosphère bienfaisante du travail et surtout l'amitié de Lolivier avec lequel il n'était pas de mensonge. En arrivant, il eut une altercation avec Solange qui avait mis Eusèbe au coin pour le punir de s'être montré insolent à son égard. Le nez contre un cartonnier et les mains au dos, le gosse baissait la tête, montrant sa nuque creuse et blême d'adolescent lymphatique. Michaud, indigné, le renvoya à sa place, mais Eusèbe ne s'y résolut qu'après avoir consulté du regard la secrétaire.

— C'est bon, retourne à ta place. Pour cette fois, je veux bien abréger ta punition.

— La punition! Vous n'avez pas le droit de le punir! Personne ici n'a le droit de le punir! C'est un garçon qui travaille pour gagner sa vie, mais il est libre, vous m'entendez, libre!

— Permettez, monsieur Michaud, je n'admettrai jamais que quelqu'un me manque de respect, lui pas plus qu'un autre. Si vous saviez ce qu'il m'a dit...

— Je ne veux pas le savoir, cria Michaud. Quand il vous aurait dit cent fois merde, ça ne vous donnerait aucun droit sur lui!

Alerté par le bruit, Lolivier entra et, mis au fait, joignit ses reproches à ceux de Michaud. Toutefois, il y apporta plus de modération et quelques minutes plus tard, dans la pièce voisine, lorsqu'il fut assis en face de son associé, il lui reprocha son emportement.

— Ça ne valait pas un coup de gueule. Bien entendu que sur le principe, tu as entièrement raison, mais dans le cas particulier, il s'agit certainement d'un simple passe-temps ou plutôt d'un jeu assez subtil reposant sur des conventions acceptées et je suis sûr que le gamin y prenait autant de plaisir que Solange. Ton intervention a dû leur paraître aussi indiscrète que ridicule. Après tout, je me trompe peut-être. Ce genre d'histoire qui se passe en tête-à-tête, on n'y voit jamais bien clair, surtout quand il s'agit d'une femme et d'un garçon.

— Evidemment, j'ai été un peu vif, convint Michaud, mais ce matin, je ne suis pas dans mon aplomb. Figure-toi qu'il m'arrive une histoire formidable.

Il conta sa soirée chez Tiercelin, sans omettre la présence de l'officier allemand, ni celle d'Olga. Il éprouvait un soulagement à parler sans détour. En évoquant la demi-heure passée chez Olga, il sentait renaître ses ardeurs et son émotion de la veille. L'aventure lui apparaissait non plus comme un accident à oublier, mais comme un départ. Il pensait avec plaisir à son rendez-vous du lendemain.

— Elle a une gentillesse, une simplicité. Et si tendre.

Une espèce de douceur ardente. Et des cuisses, mon vieux. Ce qui m'embête, c'est pour Hélène. Quand je suis rentré, hier soir...

A travers les paroles de Michaud, Lolivier essayait de se faire une opinion sur Tiercelin et sur Olga. Il ne mettait pas en doute la sincérité de son compagnon, mais croyait deviner qu'il avait manqué de clairvoyance.

— Ecoute, vieux, tu me fais de la peine. Quand tu parles de ton Olga, tu n'imagines pas comme tu fais vieux jeton. Pourtant, tu n'as que cinquante ans et tu n'es pas mal conservé. Je crois vraiment que tu n'es pas du tout fait pour ce genre d'aventure. Regarde dans quel état, hier soir, à ton retour à la maison, t'a mis le simple fait d'avoir couché avec une fille de rencontre. Et tu parles de la revoir. C'est idiot. Tu vivais tranquillement, un peu dans la lune, avec ta femme et tes gosses, et tu vas bêtement te compliquer l'existence avec une poule de café.

— Olga n'est pas une poule.

— Admettons. En tout cas, une femme qui t'embarque après avoir bu un verre avec toi, ça n'a rien de bien rare et ça ne vaut pas de se monter la tête.

— Ce que tu es bourgeois.

— Ce que tu es crétin.

Impressionné par la sagesse de Lolivier, sûr de son amitié, Michaud était très près de se ranger à son avis mais avant qu'ils se fussent mis d'accord, un hasard fit dévier la conversation et les amena à considérer le sens des propos tenus la veille par le capitaine Hatzfeld et entre autres, et particulièrement, et exclusivement : « Si nous perdons la guerre, tant pis, nous gagnerons la prochaine ». L'examen de cette seule déclaration les obligeait à peser, classer, comparer un certain nombre de notions, de valeurs, de probabilités. Ils ne s'accordaient sur rien. Ils s'échauffaient. Ils donnaient des coups de poing sur la table et disaient nom de Dieu. Bientôt, la dispute dépassa en violence celle qu'ils avaient eue à la fin du chapitre II. Lorsque la fatigue y eut mis un terme et tandis qu'ils se remettaient au travail, le front rouge encore de colère et les mâchoires crispées par le mépris, un classement des divers sujets de discussion abordés depuis le matin s'opéra en chacun d'eux. Les opinions qu'ils avaient, à quelque titre, respectivement soutenues, se regroupaient solidairement sous les crânes fumants. Pour Michaud, Olga se trouvait associée aux plus hautes valeurs de la civilisation occidentale et la nécessité de coucher avec elle s'imposait presque comme une démarche de la pensée démocratique et socialiste.

XI

Le soir du vendredi saint, Michaud dînait en silence avec Pierrette et Frédéric lorsque Malinier sonna à la porte. Pierrette alla ouvrir et, revenant à la salle à manger, annonça d'une voix tremblante qu'un officier allemand demandait Antoine.

— Je lui ai répondu qu'Antoine n'était pas là et il a dit qu'il voulait parler à ses parents.

Michaud se leva et eut un regard anxieux du côté de Frédéric qui avait légèrement pâli.

— Tu es sûre que c'est Antoine qu'il a demandé?

Malinier joua son rôle assez médiocrement. Vêtu d'un imperméable vert qui lui descendait aux pieds et tenant sa casquette à la main, il avait aussi bien l'air d'un employé du gaz que d'un officier allemand. Toutefois, ses bottes noires, qui luisaient dans l'entrebâillement de l'imperméable, lui donnaient une certaine autorité. Ses cheveux gris le servaient également. Il salua d'une brève inclinaison de tête et parla d'une voix qu'il voulait sèche.

— Monsieur Michaud, on m'a dit que votre fils, Antoine Michaud, n'est pas chez vous. C'est vrai?

— En effet, mon fils n'est pas chez moi. Que lui voulez-vous?

— Je désire l'interroger sur certaines activités qui nous semblent suspectes. Je vous prie de me dire où il se trouve à l'heure actuelle.

— Je l'ignore absolument.

— Là, alors, permettez que je m'étonne. Vous avez un jeune fils de seize ans et vous ne connaissez pas le lieu de sa résidence?

Cette permutation de genres parut à Malinier d'un effet si cocasse qu'il pouffa dans sa casquette. Ce rire, les Michaud le trouvèrent sinistre. L'officier insista encore pour qu'on lui donnât l'adresse d'Antoine et, n'obtenant rien, déclara que le silence du père aggravait le cas du fils. Là-dessus, il salua et se retira, l'air courroucé, mais au moment de franchir la porte, il fut pris d'un remords et éprouva le besoin de rassurer la famille.

— Ne vous en faites pas trop. Au fond, ce n'est pas grand'chose. Il n'est pas en danger.

— Hypocrite, ragea Michaud lorsqu'il fut parti. On sait ce que ça veut dire, ses boniments.

Il se rendit avec les enfants dans la chambre d'Hélène et la mit au courant de la visite qu'il venait de recevoir. La mère ne put retenir ses larmes en pensant au danger couru par Antoine et aux soupçons qu'elle avait nourris à son endroit.

— Nous nous demandions pourquoi il avait de mauvaises notes, le cher petit.

— Avec un peu d'imagination et le connaissant comme nous le connaissons, nous aurions pu y penser, dit Michaud d'un air contrit.

Passé la première frayeur, Pierrette trouvait que les

choses s'arrangeaient bien et était presque contente. Ces remords de parents lui étaient agréables. En même temps, elle revisait son jugement sur les amours d'Antoine. La vieille de vingt-huit ans était sans doute une Allemande, la femme d'un ministre ou d'un général, qu'il avait séduite pour obtenir des renseignements. Le soir, au moment de dormir avec elle, il devait lui donner un narcotique. Vers minuit, il se levait sans bruit, se couvrait la figure d'un masque de velours noir, explorait les bureaux de la Kommandantur et, par la fenêtre, faisait des signaux avec une bougie. Pierrette était fière d'Antoine et avait un peu de peine pour son frère Frédéric qui, bien sûr, distribuait des tracts, mais n'avait séduit personne et opérait sans masque. Toutefois, elle se garda de révéler l'existence de la vieille. Les parents n'auraient pas compris. Frédéric, lui, en voulait à son frère de lui avoir caché ses activités secrètes, d'autant plus qu'Antoine n'ignorait pas qu'il distribuait des tracts. C'était un manque de confiance.

— Les Allemands peuvent revenir perquisitionner demain, dit le père. Peut-être même ce soir. Il s'agit de faire disparaître tout ce qui pourrait être de nature à le compromettre et d'abord ses lettres qui leur révéleraient son adresse. Tout de même, c'est une chance qu'il soit parti en vacances. Il aurait pu aussi bien être là. Tout à l'heure, j'irai aux renseignements chez Tiercelin et je lui demanderait de faire avertir Antoine qu'il est recherché par les Allemands.

Il réunit les lettres d'Antoine et fouilla le tiroir de sa table. Feuilletant un cahier, il en fit tomber un brouillon de lettre inachevé et tenant en deux lignes : « Yvette chérie. — Je t'écris cette lettre au cours d'algèbre pour que tu l'aies avant midi. J'ai voulu te dire mon amour... »

Michaud relut plusieurs fois les deux lignes avec attendrissement. Il pensait à Yvette, une petite fille aux yeux purs, portant sous le bras son cartable d'écolière. En un pareil moment, ces amours d'enfant et cette lettre naïve, si pleine de fraîcheur, étaient singulièrement émouvantes. Michaud rangea dans son portefeuille ce précieux témoignage. Pendant que les papiers compromettants brûlaient dans le fourneau de la salle à manger, le père se tourna vers Frédéric et lui dit brusquement : « Et les tracts qui sont dans le tiroir. » Surpris d'apprendre qu'il connaissait l'existence de ces tracts, Frédéric restait interdit.

— Naturellement, gronda Michaud, tu n'y pensais pas. Grand cornichon. Si la Gestapo était tombée dessus, toute la famille y passait. Imbécile.

Frédéric alla dans sa chambre chercher le paquet de tracts. La brusquerie du père l'avait blessé et peiné. Il trouvait qu'on faisait peu de cas de son courage et de son dévouement et ne pouvait s'empêcher de penser avec quelque dépit aux commentaires attendris des parents sur les dangers courus par Antoine. Lorsque les tracts eurent été consumés à leur tour, Michaud se prépara à partir pour le bar de la *Pomme d'Adam* et s'entretint encore quelques minutes avec sa femme. Il avait tout à coup l'air dispos, l'œil vif, et ne paraissait nullement contrarié d'avoir à sortir. Avant de se mettre en route, il alla se laver les mains dans la salle de bains, se donna un coup de peigne et brossa ses sourcils broussailleux. Frédéric fut tenté de l'accompagner, mais les paroles du père lui restaient sur le cœur et il jugea plus digne de s'abstenir. Michaud partit seul.

« Elle doit rentrer de banlieue dans la soirée, pensait-il en descendant les pentes obscures de Montmartre. Il est très possible qu'elle passe au bar avant de rentrer chez elle. Il est même probable qu'elle y viendra, à tout hasard, dans l'espoir de m'y rencontrer. Elle me demandera de l'accompagner chez elle, comme hier soir et il me sera difficile de refuser. Et d'ailleurs, pourquoi refuserais-je? Mon fils est traqué par la police allemande et, naturellement, je suis dans une grande anxiété, mais ce n'est pas une raison qu'on puisse opposer à l'amour d'une femme. Les bourgeois noceurs et même et surtout les bourgeois rangés qui, par principe, se méfient de l'amour, nous ont appris à vivre sur des notions absurdes et dégoûtantes dont je ne suis moi-même pas sûr d'être absolument affranchi. En réalité, l'amour véritable n'est pas le plaisir, qu'on l'appelle jouissance ou absence de soi-même. Ne l'oublions pas, l'amour est une communion dans la joie comme dans la douleur. C'est bien ça, comme dans la douleur. Et si, à l'heure de mes plus grandes angoisses, je m'abandonne dans les bras d'Olga, ce n'est pas pour les oublier, mais pour leur donner une résonance. Hypocrisie? Non. Du reste, je ne cherche pas le moins du monde à me justifier. Je récure ma conscience, je la débarrasse d'un résidu de conventions pour que mon amour de père y soit plus à l'aise et y découvre des prolongements nouveaux. Je sais, je sens tout ce que la tendresse de cette petite peut faire pour moi et pour Antoine. Elle a tant de douceur, de grâce, d'abandon, de candeur. C'est comme ses cuisses... »

Michaud se perdit un moment dans des évocations troublantes, souvenirs de la chambre d'Olga où, à vrai dire, ses angoisses de père ne le suivaient que d'assez loin. Comme il descendait la rue Pigalle à tâtons, une voix douce, peut-être la même qui l'avait appelé la veille lui proposa l'amour. Il déclina d'une voix sèche, ironique, avec un petit rire suffisant. Poursuivant son chemin, il prit en pitié les pauvres types qui suivent les filles dans les chambres de passe et font l'amour au compteur. Et Michaud pensa qu'il fallait être bien vil ou bien inconscient, quand on sentait son fils en danger, pour se laisser aller à des plaisirs aussi dégradants. Cette réflexion lui parut d'ailleurs stupide et hypocrite. Il en eut tout d'un coup une espèce de nausée et éprouva le sentiment que depuis plus d'un quart d'heure, il se gavait de mensonges grossiers. « Je suis un être infect, lâche et sans consistance. J'appartiens à cette espèce d'individus répugnants qui mènent une existence irréprochable pour ne pas exposer un principe dans les fondrières de leur conscience. Je me suis fait, pour mon plaisir, une certaine idée de l'homme et, au lieu de la vérifier sur moi-même, j'ai passé ma vie à m'y conformer pour me prouver qu'elle était vraie. Et le jour où j'ai envie de coucher avec une femme, je me prends à part, je me ménage, je me démontre que je reste fidèle aux plus nobles aspirations de l'homme. Comme si on ne pouvait pas trembler pour son fils et coucher avec Olga ou même avec une fille à cent francs ou même assassiner un encaisseur de banque. Comme si je croyais sincèrement qu'en moi-même, tout doive être aussi harmonieux que dans l'homme auquel je rêve. Comme si le sentiment paternel devait faire partie d'une symphonie. Comme si... »

Michaud traversait la rue. En abordant à l'autre côté, son pied manqua le trottoir et il tomba sur un genou. Le choc avait été rude. Son genou lui faisait très mal Le bas de son pardessus était humide et peut-être maculé de boue. Dans l'obscurité, on ne voyait rien. Il se remit en marche en jurant et en boitillant. La souffrance lui faisait oublier Olga et le sentiment paternel. Il était de très mauvaise humeur. Une clarté bleuâtre filtrait à travers le rideau de la *Pomme d'Adam.* Michaud chercha la porte par laquelle on accédait directement au bar et, ne l'ayant pas trouvée, entra au restaurant.

Une odeur de poisson lui rappela qu'on était vendredi saint. Ebloui par la vive lumière, il chercha des yeux M. Tiercelin et l'aperçut au fond de la salle en conversation avec un client. Le patron ne semblait pas l'avoir vu et Michaud fit quelques pas dans le restaurant pour lui faire savoir qu'il était là. Par discrétion, il avait détourné les yeux et regardait vaguement le va-et-vient des garçons. Soudain, il s'arrêta, stupéfait. A sa droite, si près de lui qu'il n'aurait eu qu'à allonger le bras pour le toucher, Antoine était assis sur la banquette à côté d'une jeune femme. Et Michaud reconnut, faisant face au couple, l'officier allemand venu enquêter chez lui. Antoine, recroquevillé, le visage défait, regardait son père comme s'il eût été un revenant. L'idée ne vint pas à Michaud que son fils avait voulu le jouer. Croyant que le garçon venait de tomber dans un piège tendu par l'officier, il méditait une intervention lorsque Malinier se leva pour lui présenter ses excuses.

— Naturellement que je suis impardonnable et je me demande même comment j'ai pu accepter d'en venir où ils voulaient, surtout que moi, les histoires de fesse, vous parlez si ça me laisse froid. J'avais d'abord refusé, mais ils étaient là deux amoureux à me tarabuster, à me dire qu'ils ne pourraient pas vivre l'un sans l'autre. Surtout Yvette. Vous savez ce que c'est que les femmes. Quand elles en ont pour un individu, vous pouvez toujours y aller d'un couplet. La morale, elles ne connaissent pas. Je disais à Yvette...

Lorsqu'il eut compris la vérité, Michaud entra dans une colère violente. Penché sur la table, il saisit Antoine par le revers de son veston et l'arracha de la banquette. Il levait la main pour le gifler lorsque Malinier et Yvette s'interposèrent. Antoine n'avait pas même esquissé un geste pour parer la gifle. Il appréciait maintenant la situation avec sang-froid et considérait la fureur du père comme une étape nécessaire du retour à l'ordre normal. Aux tables voisines, les dîneurs s'intéressaient à cette scène violente avec l'espoir qu'elle tournerait au pugilat. M. Tiercelin, traversant la salle derrière le dos de Michaud, avait disparu par la porte du bar.

— Petite crapule, tu n'as pas eu honte de te livrer à une comédie aussi répugnante. Et tu n'as pas eu peur de faire mourir ta mère. Tu savais qu'elle était malade, qu'une émotion pareille pouvait lui être fatale, mais ça ne t'a pas arrêté. Petit voyou. Petit assassin. Tu n'as donc dans la peau que le vice et le mensonge. Ce n'était pas assez de nous avoir trompés au sujet de ce voyage, tu voulais encore que tes parents tremblent pour toi, qu'ils te plaignent et qu'ils t'admirent. Salaud. Quand je pense à ton frère. Misérable. Compter sur notre inquiétude, sur notre chagrin, bouleverser la vie de toute ta famille et accumuler les mensonges. Tout ça pour courir la putain.

— Monsieur, protesta Yvette, je vous prie d'être poli.

— Vous, fichez-moi la paix. Vous devriez vous cacher sous la table et mourir de honte. Mais soyez tranquille, vous aurez de mes nouvelles. Je vous flanquerai la police aux trousses et je vous poursuivrai pour détournement de mineur. Nous verrons s'il y a encore une justice en France et des prisons pour des femmes de votre acabit.

Antoine voulut plaider la cause d'Yvette, mais son père le fit taire en le menaçant d'une raclée. Malinier ne fut pas plus heureux et s'attira des réflexions désagréables relativement à son uniforme. Emporté par la rage et l'indignation, Michaud, l'œil en flamme, la face écarlate, haussait la voix et retrouvait les grands coups de gueule ordinairement réservés à Lolivier et à la secrétaire. Brusquement, il s'interrompit au milieu d'une phrase, le souffle coupé. Olga, souriante, le regard fondant, venait de surgir auprès de lui. Elle se colla contre son pardessus et, les bras passés autour de son cou, lui appliqua sur la bouche un interminable baiser. Il voulut l'écarter, mais elle le serrait avec plus de force.

— Chéri, je suis si heureuse. Je ne voulais pas venir, mais quelque chose me disait que tu serais là. Toi aussi, tu espérais me trouver? Si tu savais, hier, quelle peine j'ai eue quand tu es parti, mon grand. Je ne pouvais pas m'endormir. Je te cherchais autour de moi. J'étais malheureuse. Mais ce soir, tu ne me quitteras pas, dis?

Michaud ne savait comment se tenir, ni à quoi se résoudre et perdait la tête. Chacune des paroles d'Olga lui semblait proclamer sa déchéance de père. Antoine avait détourné les yeux et ne pensait pas à la chance que lui offrait cet incident. Plus gêné qu'il ne l'était l'instant d'avant, il aurait voulu en être encore à sentir peser sur lui la colère du père. Yvette suivait la scène avec un sourire amusé en gloussant de mépris. Malinier avait pris le parti de se rasseoir et paraissait assez attristé du tour que venaient de prendre les choses. De l'autre côté de la salle, près de la porte du bar, M. Tiercelin considérait le spectacle d'un regard froid, apparemment dépourvu d'ironie. Olga, toujours pressée contre Michaud, continuait à parler d'amour et faisait des projets. Il se pencha sur elle et lui murmura quelques mots à l'oreille.

— Je te demande pardon, dit-elle. Je ne savais pas que tu étais avec ton fils. Tiens, mais c'est Yvette. Bonsoir. Je ne t'avais pas vue.

Yvette lui tendit la main par-dessus la table et dit à haute voix, sans s'arrêter à l'imploration muette d'Antoine qui appréhendait une parole vengeresse :

— Mais je ne savais pas que tu étais l'amie de M. Michaud.

Olga mit un doigt sur ses lèvres et, revenant à Michaud, lui dit qu'elle allait l'attendre au bar. Il acquiesça d'un signe de tête pour se débarrasser d'elle et se laissa tomber sur une chaise à côté de Malinier. Pâle et la sueur au front, il promenait sur la table un regard hébété. Peu à peu, il retrouva le calme et prit aussi une conscience plus nette et plus douloureuse de sa situation. « Allons-nous-en », dit-il à Antoine. Yvette voulut protester, mais il lui imposa silence d'une voix ferme en lui renouvelant l'assurance qu'il porterait plainte pour détournement de mineur. Il s'informa ensuite s'il y avait quelque chose à payer, mais les convives n'avaient pas encore commencé de dîner. On attendait Paul qui était allé faire une course dans une rue voisine. Il arriva justement comme Antoine et son père se levaient pour partir. Au premier coup d'œil, il comprit la situation et n'en fut pas trop attristé. Lorsque Michaud arriva à la porte, il lui remit une volumineuse enveloppe et dit après s'être présenté :

— Ce sont des papiers assez importants qui concernent

Antoine. Vous pourrez en prendre connaissance chez vous.

Michaud rangea l'enveloppe dans la poche intérieure de son veston et sortit sans prendre garde au cri de colère et de douleur que n'avait pu retenir Yvette en voyant les papiers passer dans sa poche. Paul serra la main d'Antoine et salua le père sans obtenir de réponse.

— Tu n'avais pas le droit de disposer de cet argent-là, ragea Yvette lorsque Paul vint auprès d'elle. Tu devais me le donner.

— Il ne t'appartient pas. C'est Antoine qui l'a gagné. Comme il aurait été assez bête pour te le donner, j'ai fait pour le mieux en le remettant à son père.

— Tu reconnais toi-même qu'il me l'aurait donné.

— Oui, c'est ce que je crois, mais il n'a plus aucune raison de le faire maintenant que tout est fini. C'est à toi de te débrouiller.

Dans l'obscurité bienfaisante, Michaud et Antoine marchaient côte à côte sans échanger une parole. Michaud pensait à M. Tiercelin et découvrait qu'il s'était fait le complice d'Antoine. Toutefois, l'idée ne lui vint pas qu'il pût exister également un lien de complicité entre Olga et le patron de la *Pomme d'Adam.* Il n'en voulait à Olga que de s'être montrée maladroite et d'avoir cédé sans réfléchir à un mouvement du cœur. Antoine, à la faveur de la nuit, s'avisait que les malheurs du père pourraient bien lui ménager des possibilités de revoir Yvette. Comme ils passaient rue Pigalle, deux filles les accostèrent après avoir projeté sur eux le faisceau d'une lampe de poche et crurent les tenter en leur décrivant les plaisirs qui les attendaient. Leur invitation blessa Michaud comme une allusion. Il s'était promis de rompre le silence en arrivant à la place Pigalle, mais le courage lui manqua [1]. Il lui semblait que sa voix dût rendre un son faux, insupportable. Ce ne fut qu'en abordant à la rue Berthe, à quelque cent mètres de la maison, qu'il se décida à parler. Il saisit son fils par l'épaule et, l'obligeant à s'arrêter, lui dit calmement :

— Maintenant, je te parle sans colère. Je n'ai d'ailleurs plus le droit d'être en colère.

Antoine protesta, d'un murmure indistinct, signifiant qu'il reconnaissait toujours à son père le droit de se mettre en fureur.

— Tout à l'heure, poursuivit Michaud, je me suis trouvé en mauvaise posture pour te demander compte de ta conduite. Cette jeune femme, qui est amoureuse de moi, a le tort d'être beaucoup trop franche et de manifester ses sentiments en toute ingénuité. N'ayant pas compris dans quelle situation je me trouvais, la pauvre enfant m'a sauté au cou d'un mouvement spontané avec toute l'impatience de l'amour et de la jeunesse. Je ne sais pas ce que tu as pu en penser. Ni ce que tu en penses maintenant.

Antoine béait d'étonnement. La candeur du père le stupéfiait. Il en était intimidé. La nuit et le silence d'au-

1. Passant place Pigalle, Michaud se heurta dans l'obscurité à un nommé Gérouard avec lequel il avait été intime autrefois. Les deux hommes s'excusèrent sans se reconnaître et poursuivirent leur chemin. Ils pensaient très souvent l'un à l'autre et disaient chacun de son côté : « Je me demande ce qu'il est devenu. J'aimerais tant le revoir. » Ce soir-là, après s'être cogné contre son vieil ami, Gérouard descendit la rue Pigalle, rencontra les deux filles qui venaient d'accoster Michaud, suivit l'une d'elles dans une chambre d'hôtel et attrapa une maladie vénérienne. Soigné par un spécialiste, il se lia d'amitié avec lui et s'affilia à un groupe de résistance auquel appartenait le médecin. Arrêté par la police française à la fin de 1943 et livré à la Gestapo, il fut déporté, puis pendu.

tour lui donnèrent la hardiesse de s'exprimer librement.

— Papa, je te demande pardon, mais je voudrais te dire quelque chose. Je crois que tu te trompes beaucoup sur le rôle que cette femme a joué ce soir. Je connais Olga depuis quelques jours pour l'avoir vue au bar et je peux t'assurer que quand elle est venue près de toi, elle n'ignorait pas que tu étais avec ton fils. C'est même pour cette raison qu'elle est montée du bar où M. Tiercelin était allé la chercher. Elle savait donc très bien dans quelle situation difficile elle te mettait en face de nous.

— Qu'est-ce que tu racontes? gronda Michaud. Tu n'es pas un peu maboule?

— Je te demande pardon, mais tu n'as pas l'air de soupçonner le rôle de M. Tiercelin dans ta rencontre avec Olga. La vérité c'est qu'il lui avait donné des ordres...

Il ne restait plus grand'chose à expliquer. Michaud en savait suffisamment pour comprendre le sens de son aventure.

— Rentrons, dit-il.

L'arrivée inattendue d'Antoine causa autant de joie que de stupéfaction. Ses frère et sœur l'embrassaient, sa mère lui tendait les bras. On finit par remarquer qu'il faisait une tête d'enterrement. Le père lui-même considérait ce tumulte affectueux avec un air de réprobation maussade. Hélène s'en alarma et demanda s'il fallait craindre pour son fils quelque danger immédiat. Michaud fit signe que non.

— Laissez-nous, dit-il à Frédéric et à Pierrette. Il faut que nous ayons une explication avec votre frère.

Pierrette comprit que le père avait eu vent des aventures d'Antoine avec la vieille et Frédéric soupçonna également une histoire de femmes. L'idée qu'on pût en tenir rigueur à leur frère alors qu'il avait la Gestapo à ses trousses les indigna. En quittant la chambre à coucher, ils eurent un regard sévère pour les parents.

— Antoine nous a trompés, dit Michaud d'une voix morne. Au lieu d'aller en Bourgogne, il a passé ces huit jours chez une certaine Yvette. Comme il avait l'intention de vivre définitivement avec elle, il a voulu nous faire croire qu'il était recherché par la police allemande et qu'il était obligé de disparaître. L'officier allemand qui est venu tout à l'heure était un complice. Je l'ai trouvé attablé chez Tiercelin en compagnie d'Antoine et de cette Yvette.

Debout au chevet de sa mère, Antoine, l'air affligé, regardait le bout de ses souliers. Les choses se passaient, en somme, simplement. Il était reconnaissant à son père d'avoir fait un exposé aussi sobre et sentait d'ailleurs en lui un allié. Hélène pleurait en silence. Pour Antoine, c'était le plus dur. Sa mère, il le savait, ne pleurait pas sur les mensonges de son fils, mais sur ses amours. Michaud s'était assis près du lit, les coudes sur les genoux et la tête dans ses mains. Sentant quelque chose le gêner dans la poche intérieure de son veston, il en retira la grosse enveloppe jaune que Paul lui avait remise à la sortie du restaurant.

— Qu'est-ce que c'est que ça?

L'enveloppe était pleine de billets de cinq mille francs qui se répandaient sur lui. De sa vie, Michaud n'en avait seulement vu autant. Hélène, oubliant son chagrin, se redressait sur les oreillers et regardait cette fortune débordant des mains de son mari. Antoine faillit sourire de l'ahurissement de ses parents.

— C'est de l'argent qui me revient sur une opération

que j'ai faite avec Paul. Il doit y avoir sept cent cinquante mille francs, dit-il posément.

L'énormité du chiffre laissa Michaud abasourdi et sans réaction. Devant ce désarroi d'honnête homme besogneux, Hélène avait pitié de son mari et en même temps éprouvait un sentiment d'admiration pour l'étrange enfant prodigue dont le retour ménageait d'aussi somptueuses surprises. Gêné, Antoine avait de nouveau baissé les yeux. Il pensait au soir où, dans cette même chambre, son père avait tiré de son portefeuille cinq billets de mille francs, les seuls qu'il possédât, pour lui en remettre un. Peut-être qu'avec ses cinq mille francs, il se croyait riche tout comme avec Olga il s'était cru comblé. Le cher homme lui parut si désarmé, si parfaitement candide que le cœur d'Antoine se gonfla d'un sentiment de tendresse filiale.

— Enfin, nom de Dieu, qu'est-ce que ça veut dire? Qu'est-ce que c'est que cette opération que tu as faite avec Paul? Vas-tu finir par m'expliquer?

— Voilà. Paul a trouvé parmi ses relations quelqu'un qui lui a proposé une affaire de cinq mille cercueils à enlever immédiatement. De très beaux cercueils, en chêne, très soignés. Paul m'en a passé la moitié et comme j'avais entendu parler d'un homme qui cherchait justement des cercueils, j'ai pu lui vendre les miens avant même de les avoir payés. Plus exactement, le vendeur nous avait réservé une commission, à Paul et à moi.

— Effarant, dit Michaud en s'adressant à Hélène. Qu'est-ce que tu penses de ça?

— Nous vivons une époque si extraordinaire qu'on ne peut plus s'étonner de rien.

Hélène n'était pas autrement scandalisée. Cette affaire

de cercueils lui semblait même comporter un certain humour, car elle ne put se défendre de sourire. Michaud était déçu de ne pas rencontrer chez sa femme ce sentiment de stupeur indignée dont il débordait. Rassemblant les billets de cinq mille francs, il les remit dans l'enveloppe qu'il jeta sur la commode d'un geste dégoûté. « Va te coucher, dit-il à Antoine. On reparlera de cette histoire-là demain. » Hélène embrassa son fils longuement et versa encore quelques larmes auxquelles il mêla les siennes. Avant de sortir, il tendit son front à son père qui y posa ses lèvres comme chaque soir autrefois.

— A présent, dit Michaud à sa femme lorsqu'ils furent seuls, nous voilà bien empêtrés avec tout cet argent. A qui le rendre? Il va falloir le donner au Secours National.

— Je ne vois pas pourquoi il faudrait rendre cet argent ou le donner au Secours National. Ce n'est pas de l'argent volé.

— Voyons, Hélène, voyons. Nous n'allons tout de même pas garder un argent gagné dans un trafic de cercueils. Réfléchis un peu.

— J'avoue que je ne te comprends pas du tout. Le fait que cet argent ait été gagné à vendre des cercueils n'est pas plus choquant que s'il l'avait été à vendre des sacs de farine.

— Evidemment, accorda Michaud. Mais enfin, c'est une affaire de marché noir.

— Et après? Est-ce que la plupart des affaires, aujourd'hui, ne se traitent pas au marché noir? Que veux-tu, il faut bien accepter les conditions d'existence de son époque.

— Je ne suis pas de cet avis, répliqua Michaud. A ce compte-là, le vol pur et simple et même le crime peuvent être appelés à devenir des conditions normales d'existence. Et puis tu as beau dire. Il y a tout de même dans cette affaire de cercueils quelque chose de révoltant et d'abord l'énormité de la somme. Ces sept cent cinquante mille francs gagnés en un tournemain. C'est une injure à l'effort de l'homme, du travailleur qui peine du matin au soir pour gagner son pain. Une injure et une trahison.

A ces répugnances, Hélène objecta que le monde était devenu trop dur pour y subsister en réglant sa conduite sur des raisons sentimentales ou sur une certaine idée de l'humanité dont la réalisation n'appartenait qu'à l'avenir. Surtout, elle fit valoir les ennuis d'argent auxquels le ménage avait à faire face, l'usure des vêtements, du linge, des souliers, l'insuffisance de la nourriture. Elle brossa un tableau si sombre de leurs embarras domestiques que Michaud en fut effrayé.

— Ce qui me gêne aussi, avoua-t-il, c'est de recevoir tout cet argent d'un gamin comme Antoine. Ça me gêne vraiment.

— Il n'y a rien de gênant. Avec ces sept cent cinquante mille francs, Lolivier et toi pourrez monter une affaire qui te permettra de rendre plus tard à Antoine ce qui est, en somme, un simple prêt. Antoine n'aura fait que placer de l'argent dans ton affaire. D'ailleurs, je suis sûre que ces sept cent cinquante mille francs ne le préoccupent pas le moins du monde et qu'il n'y pense pas. Tu verras qu'il n'en ouvrira même pas la bouche à ses frère et sœur. Je le connais.

Antoine, en effet, ne parla pas des sept cent cinquante mille francs à ses frère et sœur. Pierrette couchée, il raconta tout à Frédéric, sauf l'argent et les amours du père. Frédéric s'intéressa surtout aux huit jours passés chez Yvette. Il demanda à son frère s'ils dormaient dans le même lit, si elle avait beaucoup de poitrine, si elle se mettait nue devant lui, si elle avait eu ses règles pendant qu'il était là, s'il leur était arrivé de faire l'amour entre les repas, de quelle façon, et si elle en prenait l'initiative.

— Comment ça fait de passer la nuit avec une femme?

— Ça, c'est formidable. Au lieu d'être noire, la nuit est comme en couleur, dans les rose et bleu. Le matin, tu crois t'éveiller dans un pré. La journée commence avec un goût de miel.

Antoine avait craint de décevoir son frère en lui avouant n'avoir jamais couru aucun risque du fait des Allemands. Mais Frédéric ne semblait guère s'en soucier. Il imaginait avec envie et regret ces nuits colorées, ces réveils enchantés dans le lit d'une femme mariée. Et ce n'était pas sans une certaine amertume qu'il pensait à ses activités de partisan, aux disciplines d'une cause qui ne proposait pas l'exaltation dans la volupté.

— Pendant ce temps-là, moi, je pédale sur les routes de banlieue, dit-il avec un accent de rancune.

XII

Eusèbe prenait une enveloppe sur le tas de gauche, imprimait sur le coin le timbre de la maison et la posait sur le tas de droite. La besogne allait lentement et il avait déjà caché dans ses poches une quinzaine d'enveloppes maculées d'encre ou timbrées de travers. Quand il essayait d'aller vite, ses mains s'affolaient, il se trompait de tas et bavait sur son buvard ou aussi bien sur une enveloppe. Il y avait aussi les jambes de la secrétaire. Eusèbe savait que c'était une chose dégoûtante de regarder les jambes d'une femme, en tout cas au-dessus de son âge, mais il ne pouvait s'empêcher d'y jeter un coup d'œil furtif. Parfois, son regard restait accroché. Pendant plusieurs minutes, il était immobile, privé de volonté, l'œil fixe et la bouche entrouverte et son cœur battait à grands coups, car il gardait assez de conscience pour craindre. Le samedi matin, sans doute à cause de la semaine anglaise et des sorties de l'après-midi, Solange venait au bureau avec des bas de soie. D'habitude, elle était en socquettes et jambes nues. Le bas de soie donnait à la jambe une élégance apprêtée qui l'imposait plus vivement à la curiosité d'Eusèbe. Solange était occupée à relire une lettre qu'elle venait de taper à la machine et s'était un peu écartée de la table lorsqu'elle lâcha son crayon. Depuis quelque temps, il lui arrivait ainsi plusieurs fois par jour de laisser tomber un objet. Les premiers jours, Eusèbe ne savait pas à quoi l'obligeait la galanterie et Solange avait fini par l'en instruire. C'était pour son bien. Dans la vie, disait-elle, il n'est pas de meilleure recommandation que les bonnes manières. Le crayon était tombé entre ses pieds. Eusèbe en se baissant, perdit l'équilibre et se rattrapa aux jambes de Solange, qu'il ne lâcha plus. Il en avait pris une par le mollet, l'autre au jarret. Toute à la lecture de sa lettre, Solange ne prêta pas attention à cet embrassement. Elle ouvrit les jambes. Eusèbe les serra contre lui. Sa respiration était bruyante. Soudain, elle serra les genoux sur la tête du gamin qu'elle tenait ainsi prisonnier.

— Ah! je t'y prends, dit-elle en lui calotant la nuque. Petit cochon. Sale petit voyou. J'en étais sûre que tu avais de mauvaises intentions. Tu avais des fois un regard qui me faisait peur. A seize ans, déjà pourri de vices, quelle pitié. Tu mériterais que je prévienne ta mère. Dire qu'elle te croit sage, pauvre femme.

Elle ne frappait plus et maintenait à deux mains la tête d'Eusèbe, lequel ne se débattait pas. Le visage très rouge, elle parlait avec volubilité.

— Petit fumier. Il faut n'avoir pas de cœur. Penser à des cochonneries dans une époque comme la nôtre. Quand la France est envahie. Qu'il y a plus d'un million de prisonniers qui souffrent là-bas. Et que tout est si cher. Satyre. Ta mère se demande comment joindre les deux bouts, mais toi, tu ne penses qu'aux femmes. C'est horrible, Eusèbe, ce que tu fais là. Si encore tu t'y étais pris loyalement. Les vouloirs sont dans la nature humaine. Mais profiter d'un crayon. Moi qui ne me méfiais de rien.

Solange était dans un tel état d'exaltation qu'elle n'entendit pas la porte s'ouvrir.

— Solange, venez avec moi dans mon bureau, dit Michaud.

La secrétaire sursauta et, d'un mouvement violent, repoussa Eusèbe. Il se releva péniblement et, l'air hébété, regagna sa place en titubant. Solange, les joues chaudes, suivit le patron dans l'autre pièce. Michaud était ennuyé. Outre qu'il se sentait peu disposé aux remontrances, il lui semblait s'enliser dans des histoires de femmes. Il s'assit lourdement et resta un instant silencieux à rassembler ses mots. Solange se tenait debout devant lui et cherchait une attitude assurée.

— Ce qui vient de se passer est extrêmement regrettable, dit-il enfin. Nous avons pris à notre service un garçon très jeune envers lequel nous avons des responsabilités.

— Si vous saviez ce qu'il est porté, c'est à ne pas croire. Il est jeune, c'est entendu et à le voir, il n'a l'air de rien, mais pour bien des choses, soyez tranquille, il a l'âge d'un homme. Il est toujours autour de moi, à m'agacer, à mettre ses mains ou encore à me dire des horreurs. Avec lui, c'est bien simple, je me tiens toujours sur le qui-vive.

— Ne me racontez pas d'histoires. Je vous ai vue, je sais à quoi m'en tenir. D'autre part, je connais suffisamment Eusèbe pour être certain que rien n'est arrivé de sa propre volonté. Non seulement vous étiez consentante, mais vous l'avez provoqué, incité. C'est le moins qu'on puisse dire.

— Peut-être un peu, je ne sais plus très bien. Les choses vous arrivent quelquefois sans qu'on sache comment. On est faible, monsieur Michaud. Et puis, on est tellement énervé par la guerre. Je ne vous parle pas des tickets, des queues, ni du prix des choses. Mais c'est le moral qui se trouve atteint. La guerre, c'est si affreux. L'occupation, les prisonniers, les bombardements, la misère des gens, ça vous brise le cœur. On vit sur les nerfs, on n'est pas toujours maître de soi.

Michaud faillit s'emporter contre cette explication hypocrite, mais à y réfléchir, elle lui parut reposer sur un fond de vérité. Il imaginait ce qu'avait été pour Solange ce long hiver de guerre, le métro du soir, le train de banlieue, le trajet à pied dans la nuit glacée, la maison sans feu, le dîner de légumes cuits à l'eau, les geignements de la famille, les alertes de nuit, le réveil au petit matin, le trajet à pied dans la nuit, le train, le métro, le travail dans un bureau à peine chauffé, le retour du soir. Il éprouvait à son égard un sentiment de sympathie et de compassion. Songeant à son aventure avec Olga, il se sentait peu qualifié pour chapitrer la secrétaire. Comme lui, elle était une pauvre créature mal défendue contre les surprises de son corps. Il doutait même que l'incident fût aussi regrettable qu'il lui avait semblé tout d'abord. Peut-être venait-il à point pour secouer la torpeur végétale d'Eusèbe.

— C'est bon, dit-il, n'en parlons plus. A l'avenir, tâchez d'être un peu plus posée et de garder vos distances avec Eusèbe.

— Soyez tranquille, monsieur Michaud. Ces choses-là n'arrivent qu'une fois. Je ne me laisserai pas surprendre une deuxième.

Prise en flagrant délit, Solange avait eu un moment d'angoisse. Ce n'était pas qu'elle redoutât des représailles. Elle avait eu peur de sentir peser sur elle le mépris des deux associés. Or, le ton paternel, presque bienveillant, sur lequel s'était achevée l'admonestation de Michaud la rassurait complètement. Passé l'effet de la surprise, il semblait ne voir dans cette affaire qu'un divertissement un peu leste qui n'était pas de mise à la Société de Gérance Immobilière. Elle avait maintenant la conscience en repos.

— Vous m'appellerez le domicile de M. Lolivier, dit Michaud. J'ai peur qu'il soit malade ou qu'il lui soit arrivé quelque chose. Il est déjà onze heures moins le quart.

Solange, en regagnant sa place dans l'autre pièce, eut un gai sourire à l'adresse d'Eusèbe et, d'un geste de danseuse, retroussa sa jupe à deux mains jusqu'au haut des cuisses. Le gosse en resta un moment tremblant et massacra trois enveloppes d'affilée [1].

Le domicile de Lolivier ne répondait pas. Michaud était très inquiet. En outre, il avait hâte de conter à son associé les événements inouïs qui s'étaient déroulés la

1. En fait, cet incident ne devait pas comporter les suites qu'escomptait Eusèbe. L'après-midi même, profitant de la semaine anglaise, Solange alla au cinéma et fut placée à côté d'un garçon de vingt ans d'une beauté éclatante. A l'entracte, elle eut une conversation brillante et fit valoir ses jambes de telle sorte que son nez passa inaperçu. Devenue la maîtresse du très beau garçon, Solange se montra très dure avec Eusèbe, lui reprochant sans cesse sa lubricité et raillant son apparence chétive. « Petit cochon, tu viens encore de regarder mes jambes. Je te l'ai défendu. Non mais, qu'est-ce que tu as comme prétention, Eusèbe. » De chagrin, Eusèbe tomba malade et mourut au sanatorium.

veille et de procéder en face de lui à une révision générale de sa conscience. Il éprouvait le besoin d'évoquer les péripéties de cette soirée mémorable, d'épier les impressions de Lolivier et de susciter ses appréciations, eût-il à souffrir de son ironie et de sa compassion. Il n'avait encore pas pu mesurer, embrasser toute l'importance d'une aventure où il s'était trouvé engagé sur plusieurs plans. Il y voyait un sujet inépuisable de méditation et, surtout, une expérience dont il convenait de dégager les enseignements. Michaud avait le sentiment qu'il venait de vivre, qu'il vivait encore une tragédie poignante, d'une grandeur presque inhumaine, à laquelle il fallait un public.

Lolivier arriva au bureau à onze heures. Il avait les traits tirés, une barbe de la veille, les lèvres serrées, avalées. Il entra d'un pas pressé, salua Michaud d'un bonjour à peine murmuré et, s'étant assis à sa table avec les gestes habituels, prit dans le tiroir quelques papiers qu'il étala devant lui. Il se mit à parler très vite.

— Est-ce qu'Oudard a téléphoné? Je vois qu'on n'a pas encore écrit à Boussenac. Voir aussi où en sont les travaux de la rue Damrémont. Le concierge de la rue Eugène-Carrière me paraît bien long. Hier soir, après ton départ, Lestang a téléphoné. Rien à faire pour l'instant. Il faudra que Solange tape ça ce matin. Mon fils est en prison.

— Qu'est-ce que tu dis?

— Il a été arrêté cette nuit. J'ai été prévenu ce matin vers huit heures. Il est au dépôt, je n'ai pas pu le voir.

Sur question de Michaud, il eut un mouvement des épaules, marquant l'hésitation et la fatigue, puis il répondit d'un débit uni, sans lever les yeux.

— Crime crapuleux. Il habitait une cave de la rue de

la Charbonnière avec une fille et un Arabe. Il avait eu la gentillesse de me l'écrire. L'Arabe et lui, ils ont tué la fille et ils l'ont vendue par quartiers, comme viande de boucherie. C'est en essayant de vendre les morceaux qu'ils se sont fait prendre.

Michaud resta un moment béant d'horreur, sans trouver un mot de sympathie, à regarder le crâne de Lolivier. Il imaginait le monstre, un gamin qu'il connaissait, bien élevé, poli, réservé, il l'imaginait les bras rouges, taillant dans la chair humaine avec un couteau. Mais le pire était de penser que le père lui-même fût en proie à ce cauchemar de boucherie. Michaud songea à ses propres enfants et, en prenant conscience de son bonheur, ne put se défendre d'un sentiment de joie égoïste. L'aventure de la veille lui apparaissait tout à coup insignifiante, déjà lointaine, et l'incartade d'Antoine n'était plus qu'une aimable bergerie. Lolivier, lui, pensait au fils assassin. Il voyait la cave, l'Arabe affairé, la fille éventrée, et l'enfant pour lequel il avait eu tant de soucis — les rougeoles, les rhumes, les pâleurs, les mauvaises notes — s'appliquant à couper un membre, peinant sur les tendons et les jointures ou jetant dans un baquet une brassée de boyaux tièdes.

— C'est comme ça, dit-il.

Michaud fit le tour de la table, lui passa un bras autour du cou et lui prit la main. Lolivier l'agrippa de toutes ses forces et se mit à pleurer avec un râle effrayant, comme s'il exhalait à la fois sa douleur et son épouvante. Il n'existait pas de consolation à lui proposer. Michaud prononçait des paroles d'amitié qui n'étaient d'aucun effet. Cette plainte monotone qui ressemblait à celle d'un moribond finit par lui faire peur. Il se mit à secouer son associé avec vigueur et lui cria : « Ne pleure plus. Parle-moi. » Lolivier cessa de pleurer, tamponna ses yeux avec son mouchoir et resta un moment hagard. Puis il reprit la main de Michaud et dit en la portant à ses lèvres : « Je n'ai vraiment que toi. — Je serai toujours ton vieux copain, dit Michaud. — Peut-être qu'à cause de son jeune âge, on ne le guillotinera pas. — Bien sûr que non, c'est évident. » Machinalement ou pour retrouver le fil de ses habitudes, Lolivier se mit à ranger les papiers qui se trouvaient devant lui. Après un temps de silence, il parla d'une affaire de réparations et changeant brusquement de propos, dit d'un ton amer où Michaud le retrouva tout entier :

— Je suis une espèce de privilégié. Je n'aurai pas su ce que c'était que la guerre. Elle n'aura rien ajouté à mon poids de misères. Je suis comme le locataire qui a épousé Clémentine. Dans sa joie, il reste étranger aux malheurs de la guerre. Je sais qu'il y a des veuves, des orphelins, des familles broyées, mais j'ai mon enfer à moi, qui suffit à ma peine. J'ai transporté intacte, dans la guerre, mon existence du temps de paix. On dit qu'Hitler est le maître chez nous, que nos jeunes gens sont prisonniers là-bas et que les Anglais bombardent nos villes. Mais ce que je sais bien mieux, c'est que ma putain de fille a tenu les promesses de ses quinze ans, que mon fils est devenu le monstre qu'on pouvait prévoir et que ma femme reste la méchante bourrique qu'elle a toujours été. Les grandes dates fatales de ces dernières années ne seront pas pour moi celles des autres. Moi aussi, je suis une espèce de monstre, comme tous les malheureux. Je sais, et je le savais bien avant la guerre, que la souffrance n'élargit pas le cœur et que les grandes épreuves ne nous rendent pas meilleurs. Elles nous recroquevillent sur nous-mêmes et nous condamnent à un égoïsme noir, sans joie. Tout à l'heure, je rentrerai chez moi. Je ne penserai ni aux malheurs de la France, ni aux malheurs de l'Europe. Je resterai enfermé avec mon obsession comme avec un rat dégoûtant dont il faut subir le contact et les morsures.

— Ne rentre pas chez toi, proposa Michaud. Viens habiter chez nous. Ce sera moins triste et je serai plus tranquille de te sentir près de moi.

— Merci, mais c'est impossible. Il faut que j'aille retrouver ma femme. La pauvre vieille salope, elle a du chagrin aussi. Elle a besoin de m'avoir près d'elle pour me flanquer ses ordures à la figure, me reprocher d'avoir été trop sévère avec le gosse et de l'avoir poussé au crime. Elle me dira aussi que j'ai brisé sa carrière d'artiste. Je crois tout de même qu'elle sera assez accablée pour ne pas faire trop de bruit. En temps de guerre, le malheur qui ne doit rien à la guerre, qui n'a pas de référence nationale, est déjà un peu honteux. Le nôtre l'est donc doublement. Mais je bavarde et le travail reste en plan.

Lolivier voulut se mettre à la besogne, mais il avait des absences, des défaillances de mémoire et ne faisait rien de suivi. Parfois, il s'arrêtait au milieu d'un geste et, le souffle suspendu, fixait l'encrier ou le tampon-buvard. Pour le détourner de ses préoccupations, Michaud lui conta en quelle situation il venait de surprendre Solange. Lolivier partit d'un fou rire et en oublia son cauchemar pendant quelques minutes. Il riait encore lorsque Eusèbe vint annoncer la visite de Mme Lebon.

Lina portait le même accoutrement qu'à sa dernière visite, mais son petit visage mince était transformé par la joie. Elle embrassa Michaud, lui mit du rouge à lèvres sur les deux joues et donna une tape affectueuse sur le crâne rose de Lolivier. Son allégresse éclatait en intonations aiguës et criardes.

— Si vous savez, mes petits, comme je suis contente. J'ai une joie si grande que je peux pas le dire. Et vous, jamais vous devinerez ce qu'il m'arrive.

— Vous allez vous marier, Lina?

— Oh! non, Pierre, vous êtes bête. Moi, pauvre petite Juive, quel homme je peux épouser? Non, je me marie pas. C'est tellement plus beau, ce qui arrive. Hier, à la fin d'après-midi, une visite est venue, deux personnes : une je connaissais pas, l'autre un ami de Warschau, je l'ai vu souvent à la maison. Warschau, vous savez, je me plaignais, il est parti et jamais écrite, jamais des nouvelles. Je pensais, il est un homme si dur, il m'a placée là, pauvre chien de garde, et démerde-toi, je me fous. Gestapo, il s'occupait pas et le pognon non plus. Oh! il m'avait pas laissée sans un, mais en partant il avait dit : « Je te donne pas beaucoup, c'est mieux pour toi. Une toute petite vie, on remarque pas. » Peut-être il avait raison, mais moi, j'étais triste dans la petite vie et toujours si peur Gestapo, je claquais les dents et je pensais Warschau, je le revois plus jusqu'à la fin si loin, et une fois j'aurai si peur, on me trouve morte dans la petite vie. Et alors écoutez : Warschau si dur, qui jamais pitié, il a eu pitié pour moi, il m'a vue pauvre chose avec la peur, et il me laisse pas, il me fait venir en Algérie.

Lina partait le jeudi suivant et devait auparavant résilier son contrat de location. Un locataire aryen lui succédait dans l'appartement de Warschau, qu'il était censé reprendre vide. Michaud et Lolivier acceptèrent sans difficulté le principe de ce changement. Lina exultait. Il n'y avait qu'une ombre à sa joie. Le nouveau locataire entendait procéder en sa présence à un inventaire des meubles et il était à craindre que Warschau ne fût averti des ventes qu'elle avait opérées pour son compte.

— J'ai lessivé toutes petites choses, petit bonheur-du-jour, petite table à jeu, et des dessins petits aussi. Mais s'il apprend, il m'engueule comme le poisson pourri. Surtout, il me pardonne pas que j'ai mal vendu. Il va me mépriser tellement. Quand je pense, j'ai les fesses si serrées, vous savez. Mais peut-être Warschau, il se rappellera pas.

— N'y pensez pas, Lina. Ne pensez qu'à votre chance.

— Venez avec moi, tous les deux. Vous vendez la boîte et vous venez avec la femme et les enfants. Ou si vous avez une femme elle est emmerdeuse, vous la laissez là et vous rappliquez l'Algérie. Après, c'est l'Amérique et c'est fini le ciel noir, les jours noirs et toutes les choses noires et petit œil de Gestapo. Venez avec moi. Ici, vous êtes des chiens tristes qu'ils viennent toujours de voler une chose à leurs maîtres. Vous avez peur de laisser voir ce que vous êtes et, des fois, peur de pas laisser voir assez. Même ceux ils sont pour collaboration, ils ont peur de perdre les Allemands. Même ceux qui pensent rien, ils ont peur parce qu'ils pensent rien. Et peur pour un père, peur pour un ami, pour demain, pour bombardements, viande, charbon, marché noir. Mais là-bas, vous avez plus peur. Juif, pas juif, personne s'occupe. Vous pensez n'importe quoi. Vous mettez ce que vous voulez dans la vie. Elle est grande, elle est petite, mais toujours elle est à vous. En Europe, il n'y aura plus jamais ça, même quand l'occupation est partie. Les vieilles choses il faut les laisser pour les rats. Là-bas, vous trouvez liberté, lumière, ciel, et toutes les choses qui sont pour la vie. Et quand vous avez besoin de mépriser et être méchant — tout le monde a besoin — il y a les Nègres. Oh! je voudrais être déjà. Venez avec moi.

— Moi, dit Lolivier, je ne soupire pas après la liberté. Je n'en ai plus besoin.

Michaud, lui, songeait qu'il avait maintenant assez d'argent pour partir avec toute sa famille et essayait de se laisser tenter, mais sans y parvenir. La vie en Amérique lui semblait aussi peu attirante que celle de l'au-delà. Pour lui, c'était une existence de fantôme dépouillé de substance, et ce n'était rien.

— Pardonnez-moi que j'ai débloqué, dit Lina. Je vous propose de partir, mais l'Amérique vous vous foutez. Tous les deux, vous êtes vrais Français. Vous aimez pas la liberté. Vous êtes tellement avec les choses, les maisons, les rues, les jardins, que si vous partez, vous emmenez de vous seulement un peu. Et vos idées, elles sont des choses. J'ai été bête. Allons, je reviens vous voir lundi avec nouveau locataire, mais je vous parle plus de partir.

Il était près de midi lorsque Lina quitta le bureau. Les deux associés partirent vers une heure. Ils avaient un assez long chemin à faire ensemble. Lolivier était retombé à son cauchemar et ne mordait pas à la conversation. Michaud faisait de vaines tentatives pour rompre le silence et distraire son compagnon. A bout d'invention, il parla des sept cent cinquante mille francs qui venaient de lui échoir.

— Je ne te raconte pas comment ils me sont venus. C'est une histoire sans intérêt. Mettons qu'il s'agisse d'un héritage. En tout cas, j'ai sept cent cinquante mille francs et, ma foi, j'en suis presque embarrassé. Je n'ai pas l'habitude d'avoir de l'argent. Ma femme me dit que toi et moi, nous devrions monter une affaire.

— Elle a raison, dit Lolivier. Monter une affaire, ce n'est pas exactement ce qui nous convient. Il vaudrait mieux dire : faire des affaires. Nous nous trouvons d'ailleurs très bien placés pour réussir. Nous sommes en relation avec des entrepreneurs et nous avons, parmi nos locataires, des gens qui ont toutes sortes d'activités. Tiens, hier encore, Brunet me disait qu'il avait besoin de plusieurs tonnes de fil de fer. Je lui ai donné l'adresse de Dujardel, le locataire de la rue Caulaincourt. Mais si si nous avions eu de l'argent, au lieu de lui donner l'adresse, je lui procurais la marchandise et nous pouvions, d'un seul coup, gagner trois ou quatre cents billets. D'ailleurs, si tu es d'accord, j'ai une autre affaire en vue qui pourrait se faire tout de suite. J'en vois même deux. Une de ciments et une de bons-matière. Et c'est enfantin.

Lolivier ne pensait plus au crime. Il achetait, revendait, multipliait le capital et réalisait des opérations de plus en plus importantes. Les affaires se traitaient bientôt par millions et la Société de Gérance n'était plus qu'un prétexte, une façade. Il s'échauffait, son visage s'était animé et ses petits yeux de furet brillaient d'enthousiasme. Michaud s'effarait de cet afflux d'argent et de ce débordement d'activité. Il n'avait jamais connu la fièvre des affaires ni celle des chiffres et la fortune ne le tentait pas.

— Bien sûr, nous avons des chances de réussir. Je reconnais même que les risques sont des plus réduits. Mais, au fond, à quoi bon gagner tant d'argent?

— Pour ce qui est de moi, convint Lolivier, il ne

me servira à rien. Je n'ai aucun désir d'embellir l'existence de ma femme et rien de ce qui s'achète ne me fait envie. Mais l'argent est tout de même l'argent. J'ai tant couru après, toute ma vie, que je ne peux pas laisser passer l'occasion d'en ramasser un peu. Comme tout le monde, j'ai été dressé à gagner de l'argent. Je suis un chasseur d'argent. Quand le gibier passe, je tire dessus. D'ailleurs, j'exagère en disant que la fortune ne me servira à rien. J'aime la bonne table, j'aime les belles filles et je sens qu'il y a en moi l'étoffe d'un vieux dégoûtant. Je pense aussi à mon père qui m'a toujours méprisé de n'avoir pas réussi. Le cher vieil homme va être fier de moi. Son fils millionnaire lui fera oublier qu'il a un petit-fils assassin. Nc faisons pas fi de l'argent. Celui qu'on met dans sa poche, c'est autant qui manque à autrui pour nous maltraiter et nous humilier.

Il y avait dans ces propos et ceux qui suivirent, beaucoup d'amertume, de tristesse, d'ironie ricanante. Michaud y voyait néanmoins l'assurance que Lolivier reprenait du poil de la bête et que son désespoir de père commençait à s'apaiser. Il n'en était qu'à moitié satisfait, car il avait le goût des majuscules. Lorsqu'ils se séparèrent, Lolivier paraissait très en train et avait de quoi s'occuper l'esprit pendant deux jours sans trop penser crime et boyaux.

En rentrant chez lui, Michaud respira une odeur de poulet rôti. Sur la table de la salle à manger, il y avait pour au moins cent francs de fleurs. Cette hâte à profiter de la fortune lui parut indécente. Hélène, qui avait commencé à se lever la veille, reprenait sa place à la table de famille. La maison avait l'air en fête. Frédéric parlait de gifler Pierrette qui s'entêtait bêtement à soutenir qu'il chaussait quarante-trois, alors qu'à peine quarante-deux et plutôt une demi-pointure en dessous. La table était bruyante et rieuse. Antoine n'avait pas du tout l'air consterné qui eût tout de même été convenable. Il se comportait avec autant d'aisance que s'il ne s'était rien passé et qu'il fût encore vierge. Le père, qui s'était proposé de soulever la question des notes trimestrielles pendant le déjeuner, remit à plus tard d'aborder ce chapitre pénible. Il ne parla pas non plus du crime dégoûtant commis par le jeune Lolivier, laissant ainsi passer consciemment l'occasion de souligner pour Antoine le danger de certaines fréquentations douteuses. A quoi bon évoquer des horreurs quand on a le bonheur et la paix chez soi, et à quoi bon la morale. Michaud mangea du poulet avec plaisir et, à plusieurs reprises, sourit à l'idée d'être riche. Le bonheur, même matériel, comporte plus d'un enseignement fécond, songeait-il pour s'abriter d'un vague remords de conscience. Et d'ailleurs, comment peut-on former un jugement solide, impartial, sur la vie des hommes en société si l'on n'a pas soi-même l'expérience de la richesse?

— Il faut que je me presse, dit-il avant la fin du repas. L'enterrement du colonel de Monboquin est à trois heures et demie. Quelle barbe! Viens donc avec moi, ça te sortira.

Antoine, à qui s'adressait la proposition, ne montra aucun empressement à l'accepter et s'excusa sur un mal de tête. Michaud aurait voulu l'emmener pour être sûr qu'il ne passerait pas une partie de l'après-midi chez Yvette. Toutefois, il n'insista pas, le souvenir d'Olga gênant l'exercice de son autorité paternelle. Il n'osa pas non plus s'assurer d'une promesse.

Une certaine pudeur avait retenu Antoine à la maison toute la matinée. Il croyait maintenant avoir assez fait pour la discrétion et la bienséance. Lorsque son père fut parti pour l'enterrement, il déclara qu'il allait prendre l'air au square Saint-Pierre et courut jusqu'à la rue Durantin. Yvette n'était pas chez elle. Il alla frapper à la porte de M. Coutelier dans l'espoir d'y recueillir quelque renseignement. L'inspecteur ne fit qu'apparaître dans l'entrebâillement et lui répondit avec emphase :

— Monsieur, je ne connais plus la personne qui déshonore ce nom et je ne veux plus en entendre parler. Monsieur, adieu.

La concierge n'étant pas dans sa loge, Antoine n'eut d'autre recours que d'aller s'informer chez Paul. Il le trouva dans la cave du restaurant, occupé à classer et à vérifier des bouteilles. Ayant retiré le tablier bleu qui lui ceignait la taille, Paul l'étendit sur une poutrelle où ils s'assirent côte à côte.

— Yvette est partie ce matin pour Vendôme où elle compte passer une semaine chez une vieille tante.

— Elle a pu avoir des places dans le train?

— Elle est partie en voiture. Une occasion. Des gens qui allaient à Tours, je crois.

Antoine demanda si elle avait laissé une lettre pour lui ou chargé Paul d'une commission. Non, Yvette n'avait rien écrit, rien dit qui lui fût destiné.

— Tu devrais laisser tomber, dit Paul.

— Tu es fou. Pourquoi veux-tu que je cesse de voir Yvette? Je l'aime autant qu'hier et même plus. Je continuerai à la voir tous les jours, comme avant.

— Tu feras ce que tu voudras, mais ce qui s'est passé hier soir m'a bien l'air d'un dénouement. A ta place, je n'essaierais pas de revoir Yvette. Il te reste trois mois pour préparer ton bac. Ce serait idiot de perdre ton temps avec une femme. Si tu veux, je t'emmènerai chez ma tante deux ou trois fois par mois. C'est très bien tenu. Mais ne va pas rater ton bac. D'ailleurs, je crois qu'Yvette a très peur de ton père. C'est qu'il a parlé de porter plainte.

— Il ne connaît ni son nom ni son adresse et même s'il les connaissait, il ne porterait pas plainte. Ce n'est pas dans son caractère. Yvette n'a rien à craindre de ce côté-là.

— Il y a peut-être d'autres problèmes qui se posent pour elle.

— Evidemment, si on avait les sept cent cinquante mille francs, ce serait un souci de moins pour nous. Je me demande pourquoi tu les as donnés à mon père.

— C'est vrai, répondit Paul paisiblement, je n'aurais peut-être pas dû. Je crois que je me suis un peu affolé.

La réponse de Paul, le ton tranquille sur lequel il la prononçait n'allaient pas sans une certaine ironie. Il était peu vraisemblable que Paul se fût affolé. On pouvait être sûr qu'il avait au contraire agi avec réflexion. Antoine comprenait très bien à quel mobile il avait obéi en remettant l'enveloppe à son père. Il lui en voulut, non pas tant pour les sept cent cinquante mille francs que parce qu'il le sentait résolument hostile à ses amours. Au fond, Paul se conduisait plutôt en frère aîné qu'en vrai camarade. On avait toujours tort de se confier à lui sans réserve. En admettant qu'il eût raison et c'était loin d'être prouvé, mais en admettant, son point de vue n'en était pas moins celui de la famille, des personnes âgées et des professeurs. Un vrai camarade ne doit pas nous empêcher de faire une bêtise agréable. Irrité et mélancolique, Antoine se leva pour partir. En passant sous l'ampoule électrique, il s'aperçut que Paul avait un œil un peu tuméfié et une égratignure au bas du visage.

— Qu'est-ce qui t'est arrivé?

— Ce n'est rien. Hier soir, je me suis battu avec mon père. Demain, ça ne se verra plus.

— Vous vous êtes battus? mais pourquoi?

— Une histoire sans importance. J'ai été amené à le traiter de fumier et il s'est fâché. On te verra ces jours-ci?

— Je ne pense pas. Je vais profiter de ce qu'Yvette n'est pas à Paris pour rester à la maison et tranquilliser mes parents. Ils croiront que tout est fini.

En effet, Antoine resta près d'une semaine chez lui sans mettre le nez dehors. Ses parents s'inquiétaient de ces dispositions casanières et l'exhortaient à sortir. On était d'autant mieux disposé à son égard que le premier mardi qui suivit le jour de Pâques, Lolivier avait réalisé une première opération et gagné plus de deux cent mille francs. Michaud s'était acheté un chapeau neuf et une gabardine et toute la famille s'était rhabillée, ensemble marron pour Hélène, robe écossaise pour Pierrette et complet sport pour Frédéric. Aux repas, on ne parlait plus que de tissus, de slips, de chemises, de caleçons, de soutien-gorge, de semelles compensées. Seul, Antoine avait remis à plus tard de passer chez le tailleur. Le vendredi après-midi, comme sa mère le pressait d'aller prendre l'air, il lui obéit avec une apparente résignation et ne s'absenta que fort peu de temps. Le soir, Michaud rentra débordant de joie et d'enthousiasme. Les deux associés venaient encore de gagner trois cent mille francs dans une affaire de ferraille [1].

Le samedi, au début de l'après-midi, Antoine céda encore à sa mère et fit l'effort de sortir. En arrivant rue Durantin, il aperçut Chou qui sortait de la maison. Elle courut à sa rencontre et après de tendres embrassades, Antoine la prit par la main pour aller chez Yvette. Tout d'abord, la fillette se laissa conduire, mais ayant ainsi marché quelques pas, elle dégagea sa main et s'arrêta.

— Il y a un monsieur chez nous, dit-elle.

— Quel monsieur?

Il put savoir qu'Yvette était rentrée la veille en fin d'après-midi. Un homme avait passé la nuit chez elle. Il était revenu à midi pour déjeuner. Antoine voulut espérer qu'il s'agissait du mari prisonnier, rendu à sa famille. Chou pensait également que l'homme pouvait bien être son père. En tout cas, c'était un soldat. Il essaya de lui faire décrire l'uniforme, mais le vocabulaire de l'enfant n'était ni assez sûr ni assez étendu pour le renseigner précisément. Soudain, elle montra du doigt un groupe d'officiers allemands qui gravissaient la mon-

1. Michaud et Lolivier sont actuellement à la tête d'une quinzaine de millions chacun. Leurs femmes ont des diamants, des étuis à cigarettes en or, des robes de la rue de la Paix et se voient très souvent, ce qui leur arrivait jadis une fois par an. Les deux associés sont moins généreux avec leurs maîtresses. Michaud, qui s'est mis tard à la bonne chère, a vingt de tension et son foie le tourmente. Il a l'illusion d'être encore l'ami des classes laborieuses et d'aspirer à l'avènement de la justice sociale. « Je suis un scaphandrier de la fortune, dit-il. Elle ne m'atteint pas. » Mais l'aversion qu'il a toujours eue pour le communisme ne s'inspire plus des mêmes raisons qu'autrefois. Lolivier se moque de lui : « Il t'arrive une aventure insignifiante. Tu étais un bourgeois de gauche et tu es devenu un bourgeois de droite. »

tée de la rue Tholozé. L'homme était vêtu comme eux.

— Ce n'est pas M. Malinier?

— Non. M. Malinier, je le connais.

Antoine resta un moment planté sur le bord du trottoir, essuyant ses yeux à la manche de son pardessus. Chou ne lui posait pas de questions, sachant bien pourquoi il était triste. Plus jamais elle ne les surprendrait, maman et lui, collant leurs bouches l'une à l'autre et se regardant avec des yeux de pauvres bêtes malades. Son tour était passé. Maintenant, c'était le soldat qui collait sa bouche à celle de maman. Il n'avait d'ailleurs pas cet air de bête malade. Il était plutôt effrayant. Ses yeux bleus devenaient méchants et lui sortaient un peu de la tête. Son crâne rasé, parsemé de piquants blancs, rougissait brusquement et ses doigts s'accrochaient au corsage ou à la jupe comme des pattes d'araignée. Maman était contente tout de même.

Antoine l'ayant soulevée dans ses bras, Chou lui passa ses bras autour du cou et, appuyant ses lèvres aux siennes, lui fit un regard de vache triste. Il sourit à travers ses larmes, mais n'eut pas cet air abruti qu'il prenait avec maman. Elle n'en fut d'ailleurs pas très déçue, se doutant bien qu'elle n'était pas encore d'âge ni de taille à jouer aux jeux d'abrutis. Antoine la posa sur le trottoir et écrivit au crayon un court billet qu'ils portèrent ensemble chez la concierge d'Yvette. « Je vais au cirque Médrano avec Antoine », disait le billet signé du nom de Chou. On pouvait imaginer qu'en voyant l'écriture, Yvette éclaterait en sanglots et resterait triste longtemps. On pouvait imaginer d'autres choses plus déchirantes. Au cirque, il y eut deux clowns très amusants. Chou riait si fort que M. Loyal la regardait avec une grande sympathie. Et Antoine riait aussi.

DU MÊME AUTEUR

Aux Éditions Gallimard

ALLER-RETOUR, *roman.*

LES JUMEAUX DU DIABLE, *roman.*

LA TABLE AUX CREVÉS, *roman.*

BRÛLEBOIS, *roman.*

LA RUE SANS NOM, *roman.*

LE VAURIEN, *roman.*

LE PUITS AUX IMAGES, *roman.*

LA JUMENT VERTE, *roman.*

LE NAIN, *nouvelles.*

MAISON BASSE, *roman.*

LE MOULIN DE LA SOURDINE, *roman.*

GUSTALIN, *roman.*

DERRIÈRE CHEZ MARTIN, *nouvelles.*

LES CONTES DU CHAT PERCHÉ.

LE BŒUF CLANDESTIN, *roman.*

LA BELLE IMAGE, *roman.*

TRAVELINGUE, *roman.*

LE PASSE-MURAILLE, *nouvelles.*

LA VOUIVRE, *roman.*

LE CHEMIN DES ÉCOLIERS, *roman.*

URANUS, *roman.*

LE VIN DE PARIS, *nouvelles.*

EN ARRIÈRE, *nouvelles.*

LES OISEAUX DE LUNE, *théâtre.*

LA MOUCHE BLEUE, *théâtre.*

LES TIROIRS DE L'INCONNU, *roman.*

LOUISIANE, *théâtre.*

LES MAXIBULES, *théâtre.*

LE MINOTAURE précédé de LA CONVENTION BELZÉBIR et de CONSOMMATION, *théâtre.*

ENJAMBÉES, *contes.*

Bibliothèque de La Pléiade

ŒUVRES ROMANESQUES COMPLÈTES, I

Dans la collection Biblos

LE NAIN – DERRIÈRE CHEZ MARTIN – LE PASSE-MURAILLE – LE VIN DE PARIS – EN ARRIÈRE.

Impression Brodard et Taupin
à La Flèche (Sarthe),
le 26 janvier 1990.
Dépôt légal : janvier 1990.
1er dépôt légal dans la collection : juillet 1972.
Numéro d'imprimeur : 1282C-5.

ISBN 2-07-036143-8 / Imprimé en France.